MA VIE AUTOUR D'UNE TASSE JOHN DEERE

Catalogage avant publication de Bibliothèque et Archives nationales du Québec
et Bibliothèque et Archives Canada

Rivard, Émilie, 1982-

Ma vie autour d'une tasse John Deere
Pour les jeunes de 14 ans et plus.

ISBN 978-2-89579-671-8

I. Titre.

PS8635.I83M3 2015 jC843'.6 C2014-942509-0
PS9635.I83M3 2015

Dépôt légal – Bibliothèque et Archives nationales du Québec, 2015
Bibliothèque et Archives Canada, 2015

Direction éditoriale : Nicholas Aumais, Gilda Routy
Révision : Josée Latulippe
Mise en pages et couverture : Mardigrafe inc.
Photos de la couverture : © Thinkstock

Nous reconnaissons l'aide financière du gouvernement du Canada par l'entremise du Fonds du livre du Canada (FLC) pour des activités de développement de notre entreprise.

Conseil des Arts du Canada
Canada Council for the Arts

Bayard Canada Livres inc. remercie le Conseil des Arts du Canada du soutien accordé à son programme d'édition dans le cadre du Programme des subventions globales aux éditeurs.

Cet ouvrage a été publié avec le soutien de la SODEC. Gouvernement du Québec – Programme de crédit d'impôt pour l'édition de livres – Gestion SODEC.

Bayard Canada Livres
4475, rue Frontenac, Montréal (Québec) Canada H2H 2S2
Téléphone : 514 844-2111 ou 1 866 844-2111
edition@bayardcanada.com
bayardlivres.ca

Imprimé au Canada

ÉMILIE RIVARD

MA VIE AUTOUR D'UNE TASSE JOHN DEERE

Bayard
CANADA

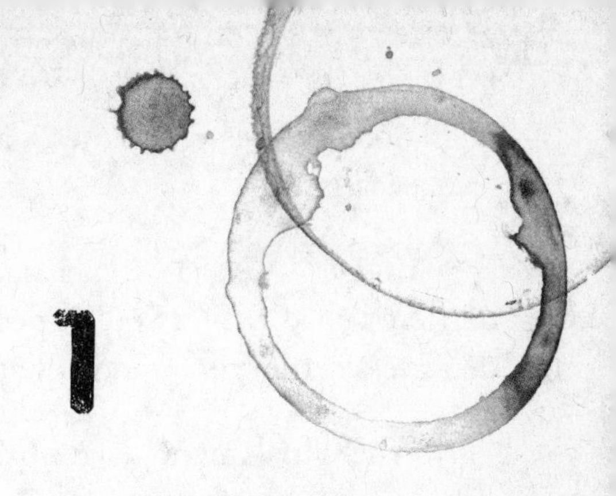

1

— Étienne Laporte est demandé au bureau du directeur. Étienne Laporte, au bureau du directeur. Merci ! crachote l'interphone.

Dans l'agora autour de moi, les conversations se sont à peine interrompues. Flavie et Renaud me font des têtes de « qu'est-ce t'as fait ? », je leur réponds par une grimace de « je le sais bien pas ». C'est une de ces journées où on est bavards de la face, mes meilleurs amis et moi. Les grands yeux trop verts de Flavie me fixent avec intensité. Ils semblent hurler « bien vas-y ! » à la place de sa bouche de geisha. Elle déteste que je lui dise qu'elle a une bouche de geisha. D'ailleurs, pour le reste, la comparaison ne pourrait pas être pire. Si mon amie se classe facilement parmi les dix plus belles filles de l'école, ce n'est pas grâce à ses efforts surhumains d'architecture capillaire et de maquillage élaboré. Mais que voulez-vous, ses quatre pieds huit pouces, ses jeans plutôt masculins, ses t-shirts assez amples et sa queue de cheval courte parviennent à la rendre plus féminine que la plupart des « pitounes » au mascara épais et aux lèvres écarlates.

« Bouge ! » s'exclame la claque que Renaud m'assène derrière l'épaule. Il la voulait peut-être délicate, mais la délicatesse et le trop grand et bâti Renaud, ça fait deux.

Je sors finalement de mon immobilisme pour me diriger vers le bureau de monsieur Guilbert, le nouveau directeur depuis le retour des vacances des Fêtes, il y a deux semaines. La microsociété de l'école des Hêtres vit toujours dans l'inconnu : gérera-t-il son royaume en tyran ou en nounours ? En près de cinq ans, on a connu de tout, ici. Le dernier, monsieur Tardif, était surnommé « Dictatardif ». Maintenant qu'il est mort d'une crise cardiaque, la plupart d'entre nous se gardent une petite gêne.

C'est donc avec un soupçon d'inquiétude dans la démarche que je traverse l'allée centrale, en direction du secrétariat général. Je contourne les groupes d'élèves, en salue quelques-uns au passage.

Le directeur ne veut quand même pas me rencontrer parce que j'ai coulé mon examen de maths ! L'ajout subtil au graffiti dans les toilettes des gars près de l'aile B ne vaut pas non plus ce déplacement. Quand on dessine madame Bertrand, prof de maths de deuxième secondaire, c'est un crime d'oublier la moustache…

J'entre dans le secrétariat, finalement plus curieux que nerveux. Je replace ma tuque de laine sur mes boucles noires, puis je me ravise, la retire et me poste devant la secrétaire. Madame Denise ferme en vitesse son jeu de patience, dévoilant ainsi sa page Facebook. J'ai juste le temps de remarquer la présence excessive de photos de chats, avant qu'elle grogne un…

— C'est pour… ?

— Monsieur Guilbert veut me rencontrer.

— Étienne Laporte ?

— C'est ça.

— Tu peux entrer, jeune homme.

Le directeur se lève en voyant la porte s'ouvrir. Il dévoile ainsi toute sa grandeur, sa minceur et son air jovial. La décoration du bureau est moins austère qu'avant. Mais qui sait ce qui se cache derrière ce visage de quinquagénaire sympathique…

— Bonjour, Étienne. Tu dois te demander pourquoi je t'ai fait venir, non ?

— Un peu…

Je m'assois sur la chaise, que j'aurais souhaitée plus confortable. Tant qu'à se sentir en mauvaise posture, aussi bien avoir le postérieur chouchouté. Ne serait-ce que pour l'ironie de la chose.

— Mon premier objectif, Stéphane…

— Étienne…

— Étienne, mon premier objectif dans cette école n'est pas de mettre fin au décrochage scolaire ou d'améliorer la moyenne générale. Avant toutes ces choses somme toute importantes, je veux voir disparaître l'intimidation et la cyberintimidation.

Je replace ma fesse pas assez joufflue sur la chaise pas assez dodue. Monsieur Guilbert parvient probablement à lire « qu'est-ce que je viens faire là-dedans ? » sur mon visage bavard.

— Si je te parle de ça aujourd'hui, Stéphane…

— Éti…

— Étienne, c'est parce que ton enseignante de français, madame Côté, m'a rapporté une scène à laquelle elle a assisté dans sa classe, à la fin d'un cours la semaine dernière.

Mon cerveau pédale comme un cycliste « stéroïdé » au maximum. Semaine dernière. Cours de français. Scène d'intimidation. Non, vraiment, je ne vois pas comment je peux être associé à un crime quelconque.

— Je ne veux pas te mettre mal à l'aise, mais madame Côté m'a confié qu'elle croyait avoir saisi que tu étais… probablement…

Dans son gros fauteuil rembourré, c'est lui, maintenant, l'embarrassé. Je le laisse patiner encore longtemps ou je lui donne un petit coup de pouce ? Le pauvre cherche ses mots et bafouille en se frottant les mains. Je suis un trop gentil garçon, je sais…

— Oui, monsieur Guilbert, je suis gai.

— C'est bien que tu le dises aussi ouvertement. C'est tout à ton honneur de t'accepter tel que tu es.

Est-ce que je recevrai une médaille lors d'une cérémonie protocolaire ? Ce serait merveilleux ! Sortez les trompettes : pa pa pa paaaaa ! « Par la présente, Stéphane… euh, Étienne Laporte, je vous nomme FIFON D'OR ! » Je ravale un fou rire, laissant le directeur poursuivre son discours.

— Madame Côté aurait entendu un de tes camarades de classe te traiter de…

Il jette un coup d'œil à ses notes. Je ne crois pas qu'il vérifie le terme exact, en fait. Il semble plutôt chercher le courage de prononcer les mots suivants :

— … de « vieille fifure ».

Je ne peux faire autrement que d'éclater de rire.

— Ça venait de mon ami Renaud, monsieur Guilbert. Il m'appelait « vieille fifure » avant qu'on sache ce que ça veut dire. Avant que je me sache homosexuel. Avant qu'on connaisse le sens du terme « orientation sexuelle », en fait.

— Mais tu dois savoir qu'il s'agit d'un manque de respect flagrant!

Je soupire, tentant de me rappeler qu'il veut seulement bien faire. Mais il a tout faux, et ça m'emmerde un peu de devoir une fois de plus expliquer comment fonctionne le respect dans ma tête et dans ma vie. Parce que le manque de respect, ce n'est pas de traiter quelqu'un qu'on aime et qu'on estime de « vieille fifure ». C'est de prononcer le mot « homosexuel » avec dédain. C'est de le prononcer avec un goût d'amertume, comme si on avait injecté du cyanure dans le nom commun. C'est de le prononcer en se sentant malpropre, comme si le seul mot pouvait donner la « maladie ». J'explique à monsieur Guilbert que j'ai souvent capté, dans la même phrase, les mots « grosse tapette » et « maudit bon gars ». Aussi souvent, j'ai entendu côte à côte les expressions « homosexuel » et « ses pauvres parents ».

— Des victimes d'intimidation, gaies ou pas, il y en a plusieurs ici. Occupez-vous d'elles, je vais m'occuper de moi.

Monsieur Guilbert n'a pas émis un son durant tout mon laïus. Je sais maintenant quel type de directeur est à la tête de l'école des Hêtres : la mère Teresa. Il cherchait une victime à sauver, il voit maintenant un gars en pleine possession de ses moyens sortir de son bureau. Je pense qu'il est un peu déçu. Maintenant, je suis en retard à mon cours d'anglais. Rah ! Le cours d'anglais. J'aurais dû allonger mon discours d'un bon quarante-cinq minutes…

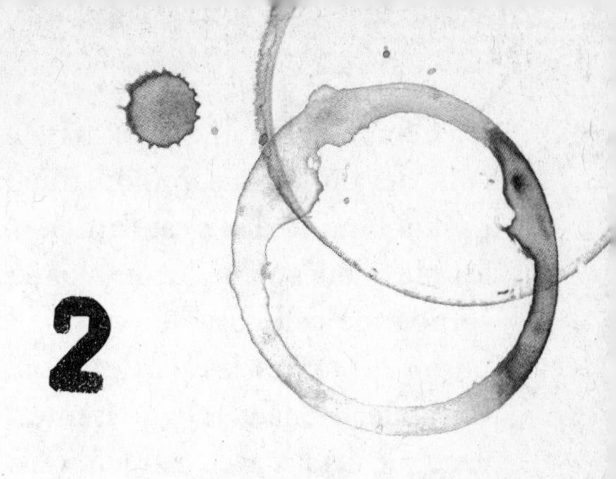

2

Je reviens de l'école avec Renaud, ce salaud d'intimidateur. Je ne sais pas trop ce qui nous a pris de marcher plutôt que de nous entasser dans le bus surchargé ; mère nature nous a concocté un mois de janvier glacial, jusqu'ici. Mon ami et moi sommes voisins depuis mes six ans et ses sept ans. Dès notre première conversation, je l'ai juché sur un piédestal. Il faut dire qu'à l'époque ça ne m'en prenait pas beaucoup pour faire de quelqu'un un héros. Renaud accotait donc Batman. Il connaissait plus de noms de dinosaures que moi, avait déjà vu un film treize ans et plus, n'avait pas peur de notre autre voisine, madame Boud'crisse, faisait pipi plus loin que moi et engloutissait des vers de terre sans sourciller. Aujourd'hui, les choses ont changé. Pour lui comme pour moi, tous les dinosaures s'appellent Rex ou Quelquechososaure, j'ai compris que madame Boud'crisse fait peur à tout le quartier sans exception et, depuis qu'il a redoublé sa troisième année, nous nous échangeons constamment les rôles de Batman et de Robin.

Congelés comme deux Mr. Freeze bleus, nous arrivons devant la maison monstrueuse de Renaud. Ce n'est pas moi qui le dis, c'est l'article sur les quinze demeures les plus laides paru sur le blogue de notre quartier. Il a surnommé celle de mes voisins la « Frankenstein », en raison de toutes les parties rapiécées sans vision architecturale. Renaud me présente son poing, attend que je cogne dessus avec le mien, puis il s'engage dans l'allée.

Je me réfugie à mon tour chez moi, avant que mon nez et mes oreilles gèlent complètement, qu'ils tombent et que je ressemble à la demeure d'à côté. La voix chantante de Luce, ma belle-mère, résonne de son salon de coiffure au sous-sol :

— Allô, Étienne !

Je l'entends ensuite replonger dans une conversation insipide sur la température, les tendances capillaires, les potins télévisuels (« Bétina de "Guédaille" Académie ? Vraiment ? Qui l'eût cru ! ») et la nourriture pour animaux (allez savoir pourquoi !). Je monte plutôt à ma chambre pour commencer mes devoirs. Des bons petits garçons comme moi, il ne s'en fait plus ! Hé ! Hé ! Hé !

Alors que tous les adolescents rêvent d'assiéger le sous-sol, moi, j'habite plutôt le grenier. À bas l'idée préconçue que les gais ont tous un talent pour la déco : ma chambre a un look de vieille grange squattée par un itinérant. Elle est malgré tout l'une des raisons pour lesquelles je ne partirai pas d'ici avant mes dix-neuf ans.

J'ouvre mon cahier d'exercices de français en pestant contre les lignes trop courtes pour y inscrire décemment les réponses. Eh oui ! J'avais besoin d'une raison de plus pour me plaindre. Ou pour refermer le volume en remettant ce devoir aliénant à plus tard. Mes livres de chimie et d'anglais ne m'attirent pas plus… En jetant un coup d'œil par la fenêtre, j'aperçois la voiture de mon père s'engager dans l'allée. Si tôt ? Je me rappelle alors qu'il a pris congé de son travail pour aider mémé Poulette à déménager dans sa résidence.

Paulette, mon arrière-grand-mère, aurait aimé rester dans son loft encore quelques années, mais ses enfants et petits-enfants en ont décidé autrement. Il paraît qu'à quatre-vingt-douze ans elle est trop âgée pour prendre, de un, soin d'elle, et de deux, ses propres décisions. Elle a élevé douze enfants (en a enterré cinq) et maintenant, elle n'arriverait plus à se faire chauffer de la soupe Lipton et se faire griller une tranche de pain sans mettre le feu ? Ridicule ! « Et si elle tombait ? » Elle est quatre fois plus solide sur ses pieds que son fils aîné de soixante-quatorze ans, mais personne ne veut l'enfermer dans un foyer avec des vieux dégénérés, lui ! L'été dernier encore, j'accompagnais mémé à vélo. Eh bien, le jour où elle suivait un jeune cycliste au mollet particulièrement musclé, j'ai eu du mal à la rattraper !

Entourée de fripure et de blancheur, j'ai peur qu'elle dépérisse… À moins qu'elle décide plutôt de monter une association anarchique pour fracasser le calme et l'ordre établi. Attention, peuple de la résidence Beauséjour, D.J. Poulette est dans la place ! J'irai la visiter demain. Soit pour lui servir d'épaule sur laquelle pleurer son triste sort, soit pour constater le chaos qu'elle a déjà minutieusement mis en place.

Je donne une seconde chance à mon devoir de français. Je dois me rendre à l'évidence, je ne le ferai pas plus que celui de la semaine dernière. Pas de ma faute. J'ai faim. Les ados ont tout le temps faim, c'est le magazine de parentage de Luce qui le dit. Bien quoi ? Elle les laisse traîner dans la salle de bain. Ça m'amuse de voir sur quelles bases elle s'appuie pour essayer de « dresser » convenablement son beau-fils et son petit démon de deux ans.

Mon père me rejoint devant le frigo. Pas de sa faute. Il a faim. Les hommes demeurent ados plusieurs décennies. C'est le magazine féminin de Luce qui le dit. Bien quoi ? Je… bon, d'accord, je n'ai aucune excuse pour les avoir lus, ceux-là.

— Comment va mémé Poulette ?

— Correct. Je pense qu'elle était contente que ce soit moi qui l'amène. Elle voit tous les autres comme des ennemis.

Mon père saisit le reste de gâteau au chocolat. Merde. Je m'empare de la pinte de lait, il n'aura pas le choix de partager. En tendant une fourchette à papa, je demande :

— Ils vont vider le loft en fin de semaine ?

— Oui. Si tu veux garder certaines choses, tu passeras dimanche.

— Je prendrais bien sa table de salon, celle avec l'image de Jimi Hendrix dessus.

— Elle serait contente que ce soit toi qui l'aies. Dépêche-toi avant que mon oncle Denis la vende. Sinon, ta journée, c'était comment ?

Je lui raconte ma mésaventure au bureau du directeur. Il rit tellement que le lait lui sort par le nez. Bravo, grand champion de la compassion ! Il devrait lire les revues de sa blonde ! Mais quand même, comme père, il se fait pire.

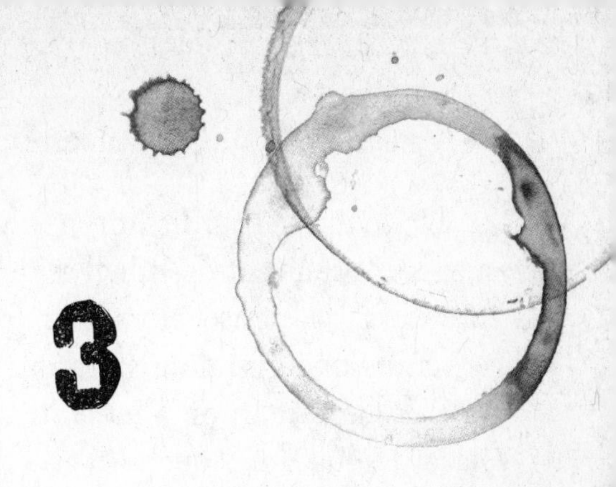

3

La résidence Beauséjour est située à dix minutes d'autobus de chez moi. À première vue, c'est pas mal le seul crochet que j'arrive à placer dans la colonne des points positifs. De l'extérieur, la grande bâtisse gris-vert terne pourrait rejoindre la maison de Renaud dans l'inventaire des bâtiments moches. J'imagine que l'auvent de style champêtre (cette précision architecturale est commanditée par l'un des magazines de Luce) veut donner un air accueillant, mais l'effet est gâché par le grincement sinistre des chaises berçantes sur la galerie, que le vent fait basculer d'avant en arrière.

Je pousse la porte vitrée, qui mène à une autre porte, verrouillée, celle-là. N'entre pas qui veut dans le royaume du manger mou ! N'en sort peut-être pas vivant non plus… Brrr ! J'appuie sur le bouton de l'interphone antique et une voix grinçante en sort.

— C'est pour…

— Paulette Saulnier. Je suis son arrière-petit-fils.

— Paulette Saulnier… Paulette Saulnier… Ah ! Oui.

Un *buzz* assourdissant m'invite à entrer. Ou me suggère fortement de fuir. J'ai du mal à interpréter son intention. Je pense alors très fort à mémé Poulette, je prends une grande inspiration et je tire la porte vers moi. À l'intérieur, on a tenté de cacher l'odeur de vieux placard sous une couche d'eau de Javel, puis l'eau de Javel sous un peu de pouche-pouche fleurs-des-bois-d'un-crépuscule-de-mai. Une femme dans la cinquantaine, blouse crème scintillante et pantalon olive taille haute, me rejoint.

— Madame Saulnier est dans la salle commune, fait-elle, de sa voix grinçante.

Sur ce coup-là, on ne peut pas blâmer l'interphone pour son timbre râpeux.

Elle m'indique une porte au milieu du couloir devant nous. Je parcours donc les quelques mètres qui me séparent de celle-ci, croisant un homme trapu aux cheveux jaunâtres, des cadres de fleurs et un néon faiblissant. J'en viens à m'ennuyer des corridors de l'école et de leur cohue habituelle.

En m'approchant de la salle commune, je capte les sons qui en sortent. Le bourdonnement des conversations, desquelles une voix d'homme et une autre de femme ressortent distinctement. Un air joué maladroitement sur un piano. Des applaudissements saluant je ne sais quel exploit. J'hésite à entrer. Je lis attentivement la plaque : « Salle commune Roger *nez mou* Ferron, danseur de claquettes émérite ». Puis un cri me harponne et me tire à l'intérieur.

— Étieeeeeenne !

Mémé Poulette a claironné si fort qu'elle a réveillé un monsieur à la moustache digne du logo des chips Pringles. Elle court vers moi et me saute au cou comme une gamine, avant de me serrer au point où j'entends mes os craquer. Mémé m'entraîne vers une chaise berçante libre, près d'une partie de pichenottes endiablée. La salle commune est moins déprimante que l'entrée et le couloir. Les planchers de bois franc foncés excusent la blancheur des murs, et le haut plafond donne à la pièce une impression d'immensité.

Je sens peu à peu tous les regards converger vers mon malaise. Même la partie de pichenottes a pris une pause pour permettre aux athlètes de m'observer quelques secondes. Je suis l'intrus. Je n'ai pourtant rien de menaçant. J'ai revêtu un chandail propre, un pantalon qui l'est tout autant et, contrairement à plusieurs de mes amis, je ne suis ni tatoué ni percé…

— Je vous présente Étienne, mon arrière-petit-fils préféré, déclare-t-elle comme un annonceur introduit l'animateur dans un *talk-show*.

Une autre dame âgée et monsieur Pringles hochent la tête, pour montrer qu'ils ont compris. Ou simplement entendu. La quinzaine d'autres personnes autour reprennent leurs activités. Il faut croire que je ne suis plus d'actualité. Certains ont peut-être déjà oublié ma présence.

— Mon Étienne est en cinquième secondaire. L'an prochain, il ira au cégep en sciences de la nature pour devenir médecin. Hein, Étienne ?

Je n'ose pas la contredire. Surtout que les autres hochent la tête plus rapidement que tout à l'heure, avec un air impressionné au bord des lèvres. Je lui ai mentionné, une fois, que je prévoyais m'inscrire au DEC en tourisme d'aventures, mais elle a vite balayé l'information de sa mémoire pourtant bien vive.

À côté de moi, la toute petite mamie aux rides figées en un air coquin me dit :

— Et qu'est-ce qu'un beau jeune homme comme toi vient faire avec des p'tits vieux un samedi matin ? Ç'a pas de bon sens comment tu es beau, on dirait un acteur américain !

— Je peux pas me passer de ma mémé Poulette bien longtemps !

— J'arrête pas de lui dire qu'il devrait se faire une blonde, à la place. Mais que voulez-vous, mon arrière-petit-fils, il aime ça, les vieux singes !

Mémé éclate de rire, entraînant la ridée et monsieur Pringles. J'aurais dû m'en douter, elle a déjà son *fan-club*.

En mettant les pieds dans cet endroit, je m'attendais à souffrir un peu, à remplir un devoir familial, bref, à trouver le temps bien long. À ma grande surprise, j'y passe plus de deux heures, un sourire étampé dans le visage. Monsieur Pringles et moi avons lessivé deux autres papis aux pichenottes, et la coquine ridée a essayé de m'enseigner les rudiments du tricot. Mémé Poulette m'a chaudement encouragé dans cette voie.

— Continue comme ça, mon Étienne, et tu pourras tricoter un foulard… pour mon petit doigt !

Elle est si drôle quand elle se trouve si drôle ! Elle a raison, ma Poulette. J'adore les vieux singes.

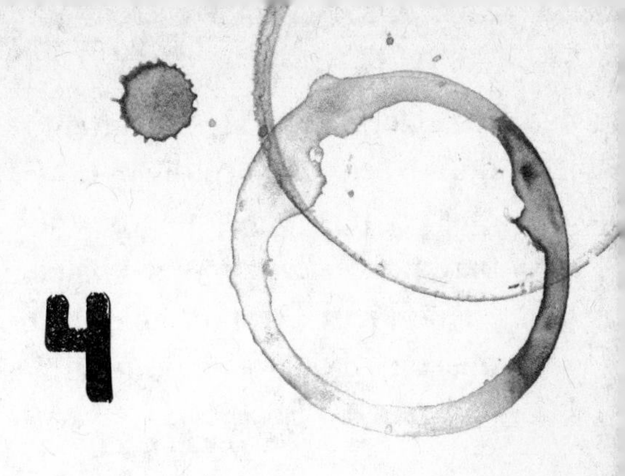

4

J'essaie de raconter à Flavie le plaisir que j'ai eu à la résidence Beauséjour, l'avant-midi même. C'est une mission impossible, avec ces jeunes en rut tout autour, la musique dans le plafond ou dans le tapis (j'ai du mal à comprendre comment ça peut signifier la même chose) et le soudain manque d'ouverture d'esprit de mon amie.

— M'écoutes-tu ?

— Ouaip, fait-elle simplement, en me visant avec son appareil photo.

Elle me montre ensuite le résultat de son cliché, mettant en vedette mon nez, une partie de ma joue et mon menton. Il n'y a qu'elle qui puisse rendre un tel modèle artistique.

— Je t'écoutais, là… mais… tu disais ?

— Je te jure que j'ai eu du plaisir avec une bande de p'tits vieux !

Elle me fait signe d'attendre une seconde, m'abandonne seul dans ce divan du sous-sol de Brian, le gars qui organise presque tous les *partys* de l'école. Ses parents s'exilent à leur chalet un week-end sur deux, laissant leur « responsable » fiston seul dans leur grande maison. Tout le monde aime le chalet des parents de Brian.

Flavie revient, une bouteille de bière à la main, la débouche en se servant d'un coin de son t-shirt « I love NY » défraîchi et s'en prend une longue gorgée.

— Je suis pas assez saoule pour comprendre, je pense. Laisse-moi finir ma bière et on en reparlera après, veux-tu ?

— Pff ! Je t'emmènerai tricoter la prochaine fois, ce sera plus simple.

Elle pouffe de rire, propulsant un jet de bière directement sur Brian, qui s'en fout visiblement. Il vaut peut-être mieux changer de sujet avant que tous les invités du *party* sentent la Molson Dry en sortant d'ici.

— Renaud était pas supposé venir ?

— Non, il a pas réussi à se faire remplacer au dépanneur.

Pour le moment, il ne manque pas la soirée du siècle. Jérémy joue au D.J., mais aucune fille n'a encore hurlé : « Woooouh ! C'est ma toune ! » C'est dire comme sa liste de lecture n'est pas au point. Oh ! L'aurais-je sous-estimé ? Comme pour faire mentir mes pensées, en entendant les premières notes d'une chanson qui joue en boucle à la radio depuis quelques semaines, trois filles se lèvent et crient leur « Woooooouh ! » de guerre. Flavie projette son coude dans mes côtes et pointe son menton vers la piste de danse improvisée, une moue de petit chiot au visage. Je roule des yeux, m'extirpe du sofa trop mou, lui tends la main pour l'aider à s'y arracher aussi, puis nous allons nous déhancher avec les trois filles.

C'est dans des moments comme celui-ci qu'être gai devient un net avantage. Un hétérosexuel n'oserait jamais danser comme je le fais en ce moment. Sauf Channing Tatum. Et encore. Le pauvre gars aurait bien trop peur de se faire dire : « *Check* le fif ! » Les gais ne dansent pas forcément mieux que les hétéros. On a simplement le droit de bouger tête, épaules, genoux et orteils dans tous les sens sans craindre de perdre sa carte officielle de virilité. Nuance.

Jérémy a enfin compris son rôle dans l'univers : il enchaîne avec un deuxième succès qui provoque des ultrasons chez mes consœurs de piste de danse. S'approche une autre fille, Camille, qui essaie de traîner son *chum* jusqu'à nous. Le gars utilise la technique du « mou ». Je la connais bien, mon demi-frère est ceinture noire de « mou ». Quand on essaie de le bouger d'un endroit où il veut rester, il se transforme en *jello* à saveur de béton. Camille classe son amoureux dans la catégorie des causes désespérées et nous rejoint en sautillant. Elle se dandine aux côtés de Flavie et moi, faisant valser ses longs cheveux châtains dans nos visages agacés. Je blâme d'abord la petitesse de notre aire de déhanchement, mais non, deux bons mètres carrés de ciment attendent de se faire piétiner un peu plus loin. Alors qu'une de ses mèches se fraie un chemin jusque sous mon nez, je réalise que ce n'est pas par manque d'espace qu'elle me talonne et, disons-le franchement, se frotte carrément contre mon corps d'apollon (hum ! hum !).

Elle est bien mignonne, la Camille, avec son parfum fruité (à moins que ce soit l'odeur de son shampooing). Ce n'est pas le pire moment de ma vie, on s'entend, mais quand même, un certain petit malaise commence à m'habiter. Ce malaise émigre vers Flavie, qui fronce les sourcils à s'en cacher les yeux. La scène a même pour effet de ragaillardir d'un coup l'adepte du « mou ». Ce dernier attrape la jolie par la taille et la sort de la zone de trémoussement en moins de deux. Jérémy, qui semble avoir pris dix ans d'expérience de D.J. en moins de deux chansons, comprend que c'est un bon moment pour monter le volume. Malgré tout, des bribes de conversation passent par-dessus les « *Oh baby !* » du hit du moment.

— C'est quoi, ce *show*-là ? Tu veux faire la petite pute ?

D'ailleurs, avec une jupe pareille, tu serais mieux sur

le trottoir qu'ici ! Fais-tu exprès pour me faire honte devant tout le monde ?

— Je veux juste avoir du *fun*, Jef, prends pas ça de même !

— Comment veux-tu que je le prenne ? Tu te frottes sur tout ce qui bouge comme une sale conne !

Il y a quand même des limites à jouer les témoins sans broncher. Surtout que Jef-le-plus-du-tout-mou serre de plus en plus fort le bras de Camille, qui grimace en tentant de se défaire de sa poigne, sans succès. Je jette un coup d'œil vers Flavie. Incapable de laisser passer ce genre de violence, elle s'apprête à sauter à la gorge du gars. Il vaut peut-être mieux calmer le jeu plutôt que de mettre le feu aux poudres. Je sors donc mes vieilles techniques de médiateur… apprises en sixième année.

Je tapote l'épaule de Jef comme on tendrait la main à un chien inconnu, pour lui montrer toute sa bonne volonté et sa bienveillance.

— De quoi tu te mêles, le jambon ?

Ah ! Le jambon. J'ai eu beaucoup de surnoms dans ma vie, celui-ci est nouveau et, ma foi, plutôt inventif ! Je garde un ton de jambon bien calme pour répliquer :

— Jef, fais-y pas mal pour ça, elle a rien fait de terrible, là !

Il sépare ses syllabes en écumant un peu au coin de la bouche (j'exagère à peine) :

— J'ai dit : de quoi tu te mêles, le jambon !

— Quand je vois une fille se faire traiter de pute à côté de moi, ça me fait de quoi. Et à partir du moment où ça me fait de quoi, ça devient de mes affaires aussi, tu comprends ? Je veux pas t'écœurer avec ça, tu sais, je trouverais ça juste *cool* que tu la laisses respirer un peu et que tout le monde continue à avoir du *fun*.

Il lâche le bras de sa blonde, qu'il tenait toujours avec autant de vigueur, puis il agrippe mon t-shirt, l'autre main prête à se propulser jusqu'aux confins de ma face.

Brian s'interpose :

— Les gars, pas de ça dans mon sous-sol ! Allez dehors.

Ah ! C'est comme ça que tu m'aides, Brian ? Merci ! Merci beaucoup !

Jef m'entraîne dans les escaliers, puis à l'extérieur. On ne va quand même pas se battre, là ? Surtout qu'il fait moins mille degrés ! Je veux bien croire qu'il est plein d'hormones et que je viens de l'obstiner devant sa blonde, mais… OK. Il a clairement assez de raisons de me détester en ce moment. Mais voilà, la bataille et moi, ça fait deux. Chez nous, on règle nos insatisfactions à coups de blagues.

Derrière moi, Flavie retient Camille, qui veut s'interposer. Ah ! C'est comme ça que tu m'aides, Flavie ? Merci ! Merci beaucoup ! Mon amie aurait-elle confiance en mes qualités de lutteur gréco-romain ? Euh… Ce serait surprenant ! Jef me projette sur le banc de neige dès que je baisse mes gardes, qui n'étaient pas bien hautes à la base. J'essaie de me protéger comme je peux, mais ses poings ne ratent pas souvent leur cible. Ici mon nez, tantôt mon œil. Étrangement, je n'ai ni très mal ni très peur. Juste une grosse, grosse hâte que ça s'arrête. Et vraiment froid. J'essaie de me dégager, puis de me relever, mais Jef est plus fort. Je réussis tout de même à me libérer un bras et à lui envoyer une bonne droite à la mâchoire, ce qui le déstabilise un moment, avant qu'il reprenne le labourage de mon visage.

Soudain, une voix d'homme fait cesser la pluie de coups. Entre mes avant-bras, j'aperçois un uniforme bleu marine qui contient sans doute un policier.

— Ça va faire, les p'tits gars !

Apparemment, une voisine a alerté les autorités à cause du bruit. Je ne sais pas trop à quel point on est dans le trouble, Jef et moi. En fait, que Jef soit dans le trouble ne m'importe guère, que j'y sois plongé m'embête un peu.

Flavie explique la situation. Camille, Jef et moi la laissons parler. L'agent plutôt petit, mais bien bâti lui coupe la parole quand il en a assez et dit :

— Les gars, je pense qu'une visite au poste va vous faire du bien.

On n'a pas la même notion de « bien », ce zélé et moi. Il nous embarque tous les deux. Jef murmure en serrant les dents : « Je suis dans la merde ! Je suis dans la merde ! » comme un mantra pas trop zen.

Il a raison, Jef. On est dans la merde. Ils nous enfermeront probablement dans une salle d'interrogatoire. Un gentil policier nous offrira un verre d'eau et une couverture de laine pour nous réchauffer. Suivra un méchant officier, qui dirigera une lumière très forte vers nos pupilles meurtries en criant : « Où étais-tu le 23 au soir ? Allez, réponds, fils de pute ! » Je ne sais pas trop pourquoi, mais son accent rappellera un doublage français peu réussi. Ce sera un bien mauvais moment à passer…

Une fois au poste, une policière appelle nos parents, avant de me tendre un sac glacé pour soulager mon visage. Je le sens tranquillement virer au mauve. J'avais vraiment besoin de ça ce soir, moi ! Mais en voyant le père de Jef, un monsieur à la hauteur du Kilimandjaro, se pointer et le ramasser par le collet, je comprends qu'il est beaucoup plus mal pris que je le suis. Quand le regard de l'homme tombe sur ma réplique de Georges St-Pierre après un combat, il émet un rire aussi bref que stupide, puis pousse son fils vers la sortie. La pomme ne tombe jamais loin de l'arbre, comme on dit...

Quelques minutes plus tard, mon père apparaît. Il a son air perdu, pas assez réveillé pour être fâché ou inquiet. La policière lui résume la situation. Je crois qu'elle a un peu pitié de moi, puisqu'elle dresse un portrait de chevalier servant. Son collègue, celui qui m'a ramené, fait une grimace de dégoût, visiblement insatisfait de cette histoire, puis il ajoute :

— La prochaine fois, vous rappellerez à votre fils qu'on n'a pas que ça à faire, sauver sa peau !

Je sens que mon père a une mauvaise blague de beigne collée au palais. Alléluia, il la garde pour lui ! Ma soirée a été assez longue comme ça et je n'ai qu'une envie : aller me coucher.

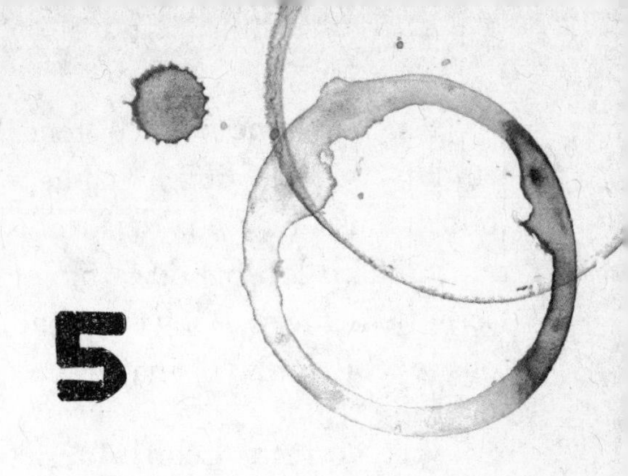

5

Le lendemain, j'ai un mal de tête terrible, la lèvre encore endolorie et un œil qui refuse d'ouvrir complètement. Une vraie pub de Gap sur un autobus… qui aurait roulé dans un gros trou de bouette.

Je finis par sortir du lit vers 13 heures. Mon estomac vide me déteste depuis au moins deux heures. Il faudrait bien que j'accepte de le remplir, au cas où il se rebellerait et s'expatrierait chez quelqu'un d'autre. Mon père serait sûrement content d'accueillir un estomac supplémentaire. Mais ça n'arrivera pas; je descends à la cuisine, en quête d'ingrédients quelconques pour me fabriquer un sandwich. Alors que je mets la main sur le pain (un bon début pour un sandwich réussi), j'entends les petits pas de Léon, mon microbe préféré et demi-frère de son espèce, trotter dans le corridor. Je m'enfonce la tête dans le réfrigérateur, à la recherche de la mayonnaise. Il court jusqu'à moi et me botte le mollet. Sa façon à lui de me saluer. Ça se veut gentil, paraît-il.

Je me retourne pour lui rendre la pareille (le saluer, pas lui botter le tibia), oubliant mon air de créature monstrueuse. Ses yeux déjà ronds s'agrandissent davantage, défiant les lois de la biologie et de la géométrie. Le hurlement qu'il pousse ensuite alerte probablement tous les chiens du voisinage.

— C'est correct, Léon! C'est moi! Je suis pas un zombie, promis!

Impossible de calmer le microbe. Il continue de hurler à pleins poumons, jusqu'à ce que Luce rapplique.

— Hiiii! Étienne! Ta face! fait celle-ci en soulevant de terre la petite chose hurlante.

— C'est beau. J'ai compris.

Je termine mon dîner en vitesse et je retourne dans ma chambre, où je me terre jusqu'au lundi matin, en espérant que mon visage reprenne sa beauté… enfin… sa « correctitude » d'antan.

Finalement, le lendemain, ma bouche est presque symétrique et mon œil ouvre un peu plus. Je devrais passer inaperçu dans la masse d'étudiants de l'école des Hêtres. Je rejoins Renaud devant chez lui comme d'habitude.

— Génial, ton nouveau look! C'était comment, le *party* chez Brian?

— Mouvementé.

— Paraît que tu t'es mis entre Camille et Jef au moment où il voulait la frapper?

— Euh… Pas exactement.

— Bien, c'est ce que tout le monde raconte sur les réseaux sociaux depuis hier matin.

Moi qui croyais réussir à me faufiler entre deux autres potins plus croustillants, c'est raté. Je suis le héros de ces dames, bien malgré moi. Dans le fond, tout ce que je voulais, c'était éviter que Flavie soit accusée de meurtre en tuant un pauvre imbécile. Et comme chevalier, on a vu mieux. Je ne parviendrais même pas à combattre le renard attardé dans Dora.

Plus tard, monsieur Guilbert m'intercepte entre mes cours de physique et de français.

— Toujours capable de te débrouiller seul, Stéphane?

— Je ne sais pas pour Stéphane, mais moi, oui, monsieur Guilbert. Je me débrouille toujours très bien tout seul.

Il soupire d'agacement, puis poursuit sa route vers le secrétariat. Je n'ai jamais vu quelqu'un désirer me rescaper à ce point.

— Il avait presque l'air fâché, me fait remarquer Flavie.

— La commission scolaire a peut-être organisé un concours du genre : « Combattez l'homophobie et gagnez le titre de DIRECTEUR D'OR ! »

— Tu oses te moquer du combat contre l'homophobie, Renaud ? Je te rappelle que si on était au Soudan ou en Arabie Saoudite, notre copain Étienne pourrait subir la peine de mort ! Et toi, son grand ami, tu serais un suspect parfait... le réprimande Flavie.

— Tu sais bien que c'est pas ce que je veux dire, Flav ! Je suis le premier à défendre les vieilles fifures, mais l'insistance de Guilbert à se fabriquer des victimes… c'est… comment dirais-je…

— Renaud a raison, on dirait un joueur de hockey qui prend n'importe quelle passe, surtout les faciles, et tire n'importe où, en espérant marquer un but comme par magie.

La cloche met fin à mes belles métaphores et me rappelle que le cours de français m'attend. Je me demande si madame Côté décèlera de nouveaux gestes homophobes dans les bêtises de Renaud.

En entrant dans le local, mes amis et moi sommes accueillis par un remplaçant. La trentaine débutante, la chevelure brune sagement coiffée, l'œil qui sourit, il a une tête à donner un peu de vie aux accords du participe passé des verbes pronominaux. Une tête que tous les élèves aimeraient voir à la place de celle de madame Côté pour un long moment. Surtout les filles, à commencer par Flavie, qui me glisse un « Waouh! Mignon! » à l'oreille. C'est vrai qu'il a la beauté des mannequins de pubs de parfum pour bohèmes rebelles. Mais il est trop barbu à mon goût.

— Bonjour tout le monde, mon nom est Dominic Desgagnés. Vous pouvez m'appeler Dominic ou, à la limite, monsieur Dominic, mais laissez tomber le « monsieur Desgagnés », j'aurais l'impression que vous parlez à mon grand-père! Madame Côté est en congé de maladie pour un temps indéterminé. Inutile de me demander ce qu'elle a, je n'en sais pas plus que vous.

Quelqu'un pourrait-il rappeler à mon sourire radieux qu'il est bien vilain de se réjouir du malheur d'autrui? Pauvre madame Côté! Elle s'est peut-être fait frapper par un autobus ou voler un rein par la mafia russe. Ou bien elle combat une maladie exotique super rare. Ou... ou... à quoi bon me forcer à inventer des rumeurs abracadabrantes alors que toute l'école s'en chargera de toute façon!

— Madame Côté avait prévu vous donner aujourd'hui les consignes pour votre exposé oral, qui aura lieu dans un mois. J'ai... disons... égaré la liste de sujets proposés, alors je vous donne un mandat de mon cru. Vous devrez parvenir à nous faire aimer quelque chose de pas très *in*. J'ai fait une liste, si vous n'avez pas d'idée. Ça passe de la musique country au tricot. Vous devrez me faire part de votre choix au prochain cours.

Flavie, assise au pupitre collé au mien, me pique les côtes de son coude pointu. Le plus pointu de la galaxie. Si je choisissais le tricot comme sujet, elle m'en reparlerait sûrement jusqu'à la fin de mes jours ! Peut-être même qu'elle viendrait monologuer à propos d'aiguilles et de laine sur ma tombe.

Elle ne reprend son sérieux qu'en voyant le directeur entrer dans la classe. Paranoïaque, je me demande aussitôt ce qu'il me veut.

— Monsieur Desgagnés, je peux vous déranger une seconde ? J'ai à m'adresser au groupe.

— Bien sûr, monsieur Guilbert.

— Bonjour tout le monde ! J'ai eu une idée la semaine dernière qui, j'en suis certain, saura vous plaire. Je lance un grand projet dans toute l'école, qui s'intitule « Les Hêtres aident la communauté ». Chaque heure de bénévolat vous vaudra un point. L'élève qui aura récolté le plus de points à la fin de l'année remportera une carte-cadeau à la boutique Sports Plein air Guilbert (quel hasard !).

Il distribue des feuilles contenant toute l'information, venant ainsi à l'encontre de son grand projet « Les arbres, j'aime ça ! » lancé il y a deux semaines.

À nouveau, le coude de Flavie atteint mes côtes.

— Tu pourrais enseigner bénévolement le tricot !

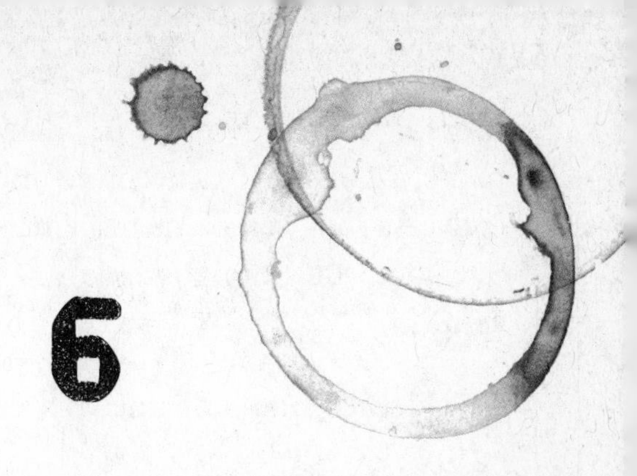

6

Durant le reste de la journée, mon visage fait office de mascotte. On l'admire, on le pointe, on veut même se faire photographier avec ! Charmant ! J'ai terriblement hâte que les traces de poings de Jef disparaissent. Pour accélérer le processus de guérison, j'ai besoin d'une potion de vieille sorcière. Après les cours, je fais donc un détour par la résidence Beauséjour. Mémé Poulette connaît tous les trucs de grand-mère pour faire disparaître les taches compromettantes, repriser un immense trou dans un chandail ou traiter efficacement un ongle incarné sans devoir attendre quatre heures à la clinique sans rendez-vous. Si un jour je commets un crime, elle sera dans le coup et jamais nous ne nous ferons prendre !

La même quinquagénaire que la dernière fois me laisse entrer avec sa méfiance habituelle. Je ne connais pas son véritable nom, mais pour moi, elle sera désormais Marie-Méfianta. Je me dirige ensuite vers la salle Roger-nez-mou-Ferron. Un grand *party rave* y est en cours. La musique techno fait vibrer les murs, et seules des lumières colorées clignotantes illuminent sporadiquement la pièce. L'odeur de camphre est frappante. Mais non! Je déconne! Les néons grésillent, les conversations semblent ne jamais se terminer, et seule une joute de dominos crée un peu d'action, dans un coin.

— Étieeeeeenne! crie une voix de femme en fleur.

En fleur fanée, mais en fleur tout de même! Étrangement, ce n'est pas la voix de mémé Poulette, mais celle de la toute mini mamie ridée. Blanche. Je pensais que mémé Poulette avait un dynamisme unique, Blanche la coquine me prouve le contraire. À la défense de mon ancêtre préférée, je dois dire que Blanche a près de vingt ans de moins! Même pas encore soixante-quinze ans, c'est une petite jeunesse!

Blanche et Paulette accourent vers moi aussi vite que leur arthrite le leur permet.

— Étienne! Qu'est-ce qui t'est arrivé? me demande mémé.

Évidemment, pas question de lui dire la vérité!

— Je suis tombé en descendant de ma chambre, hier. Léon m'a fait faire un saut et…

— Arrête de me mentir, vilain! Tu t'es battu pour sauver l'honneur d'une fille, je l'ai lu sur Facebook. Je suis amie avec ton voisin Renaud. J'ai même « liké » son commentaire.

— Quoi ? Facebook ? Mémé ? Hein ?

Alors que mes bras se détachent de mon corps pour tomber lourdement au sol, mes deux têtes blanches préférées éclatent de rire. Elles en craquent, en pleurent. Plus moyen de conter tranquillement des histoires à son arrière-grand-mère, elle aura toujours un mensonge plus efficace dans sa manche. Je ne savais même pas qu'elle connaissait le mot « Facebook » ni le vocabulaire qui lui est propre ! Blanche reprend son souffle pour couiner :

— J'ai rien compris de ce que tu as dit, Paulette, mais sa face bleue sous le choc… ça bat la fois où monsieur Rodrigue a échappé son dentier dans sa soupe !

Mémé Poulette reprend son sérieux et me dit :

— Mets une poche de thé sur ton œil pendant une dizaine de minutes, quatre ou cinq fois. Badigeonne les parties colorées avec de l'essence de vanille. Tu as tout ça chez toi ?

— Je sais pas trop.

— Attends, je vais aller en voler dans la cuisine. Blanche, tu peux faire diversion, s'il te plaît ?

— Avec plaisir! répond la toute petite femme, excitée à l'idée de participer à un si grand délit.

Elles me laissent planté au beau milieu de la grande salle, comme un bébé cachalot en plein désert. Je m'y sens moins à mon aise, sans l'énergie de mémé. Et je suis curieux de savoir ce que ces deux incorrigibles grands-mères préparent de leur côté. Je les suis donc dans le corridor, de loin pour ne pas attirer l'attention. Aussi bien dire que j'avance à pas d'escargot sur une patinoire olympique. Elles tournent à droite, je reste de l'autre côté du coin, jetant des coups d'œil de temps à autre. Je me surprends à être aussi excité que nerveux par cette chasse à l'homme. Ou plutôt cette chasse aux mamies.

Les gangsters du troisième âge s'arrêtent devant une porte, qui mène probablement à la cuisine. Poulette glisse quelques mots à l'oreille de Blanche, qui chuchote un rire, puis se dresse bien droite, l'air aussi coupable qu'une enfant de deux ans à la bouche noire, un stylo cassé à la main.

Mémé Poulette entrouvre la porte de quelques centimètres, puis montre son pouce en l'air à Blanche. La voie est libre, elle se glisse dans la cuisine. Blanche regarde à sa droite, je me cache pour ne pas qu'elle m'aperçoive. De toute façon, l'action se déroule derrière la porte close. Déçu de rater cette scène, j'imagine sans peine l'agente Poulette Bond réaliser une roulade en entrant dans la pièce, ramper sous un comptoir, désamorcer une bombe au passage, effectuer une jambette à un espion russe, le neutraliser en une prise élaborée, le menaçant du bout d'un épluche-carottes trouvé sur place, grimper sur un plan de travail pour atteindre une armoire, saisir la bouteille d'essence de vanille et coincer celle-ci entre ses dents. Petite pause bien méritée. Elle se suspend ensuite à un tuyau au plafond et se déplace ainsi dans les airs jusqu'à l'autre extrémité de la pièce, avant d'asséner un coup de pied au visage d'un second ennemi (un espion ougandais, celui-là), d'attraper les sachets de thé et de revenir vers la porte en rampant.

Je risque un coup d'œil de l'autre côté du coin du mur. Une seconde plus tard, une quinte de toux derrière moi attire mon attention. Oh non ! Me voilà démasqué ! Je me retourne d'un bloc, espérant ne pas y trouver celle qui semble diriger la résidence. Elle est déjà assez méfiante comme ça. J'aperçois plutôt un vieil homme frêle, qui avance plus que lentement. Ses mains maigres s'appuient à la rampe qui court tout le long du mur. Son cou peine à soutenir sa tête. Son nez plus gros que la moyenne retient des lunettes aux verres épais. Heureusement qu'il est chauve, c'est un poids en moins !

Je lui fais signe de ne pas vendre la mèche en posant mon index devant ma bouche. Il ne semble pas remarquer ou comprendre mon geste, puisqu'il marmonne :

— Bonjour. Étienne Julien.

Je présume qu'il s'agit de son nom. Je fais quelques pas dans sa direction, puis je murmure :

— C'est drôle, je m'appelle Étienne, moi aussi.

Il émet un étrange râle. Soit ça signifie « ah bon! » ou « quel hasard abracadabrant! », soit je vais trop loin dans mes hypothèses; un peu d'air avait simplement envie de s'échapper de son corps et il s'en fout, de mon nom. Il reprend sa marche pénible. Chaque pas équivaut à un triathlon.

Un beau gros malaise menace d'envahir notre petit bout de couloir, mais des rires de gamines nous en sauvent. Mes agentes doubles préférées passent à côté de nous à une allure aussi vive que leur permettent leurs jambes usées.

Je les suis jusqu'à la grande salle, où ma Paulette sort de sa veste de laine des poches de thé et une bouteille remplie d'un liquide brunâtre.

— Mets ça dans ta face, et demain tu seras aussi beau qu'avant!

— Merci, mémé Poulette! Merci, madame Blanche!

— Tu vas revenir nous voir bientôt, hein, Étienne? supplie Blanche.

— Demandé avec de si beaux yeux… comment je pourrais refuser ?

Blanche glousse, avant de m'inviter dans ses bras pour un câlin qui sent le pétunia. Je ne sais pas trop ce que sent le pétunia, mais j'imagine que ça doit sentir ça.

Parce que mon papa m'a toujours enseigné à être poli, je salue monsieur Julien de la main avant de quitter l'excitation de ce *party* endiablé.

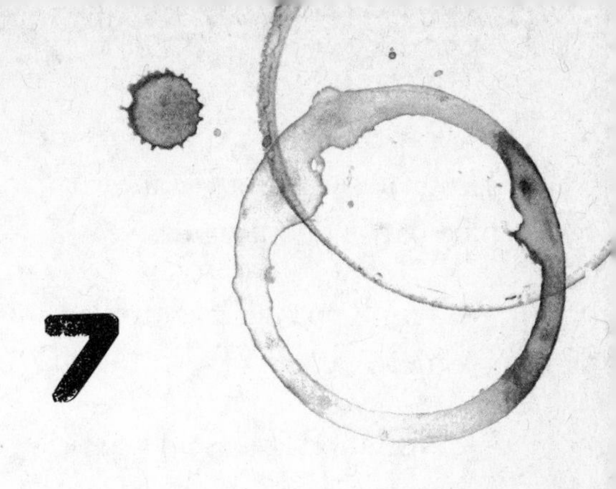

7

Je change de position toutes les quatre minutes. Aucune ne m'enlève cette impression que mon oreiller est un menhir. Vers deux heures du matin, j'en ai assez. Je me badigeonne la « bleuitude » d'essence de vanille pour la millième fois de la soirée, et ce, même si j'ai de plus en plus de doutes quant aux véritables vertus du remède de mémé Poulette. Je descends ensuite à la cuisine en quête de jus de pomme.

En passant devant le salon, j'entends des voix provenant de la télé. Mon père est allongé sur le sofa, un Léon à l'air comateux couché sur lui. Le petit émet une constante plainte quasi inaudible. Sûrement une dent qui pousse, une otite ou un autre bobo transformant un enfant de deux ans en machine à nuits blanches pour toute la famille !

— Étienne ? C'est toi qui sens le *cupcake* de même ?

— Ouais.

Papa ne pose pas plus de questions. Son regard retourne se fixer à l'écran, sur lequel se joue une endiablée partie de minigolf.

— Tu ne pouvais pas trouver mieux à écouter ? Je peux mettre un DVD, si tu veux…

— Non, non. Laisse. J'y ai pris goût.

Prendre goût à écouter du minigolf. Mon pauvre petit papa ! Je m'assois sur le fauteuil trop *design* pour être confortable, puis je regarde les joueurs se rendre à leur prochain défi. Les commentateurs y mettent tout leur cœur, comme s'ils décrivaient la finale de la coupe Stanley.

— Trou numéro sept, la discothèque ! Voyons si Gilles Thériault arrivera à bien faire sur ce trou, lui qui a complètement raté les deux trous précédents.

— Pour y parvenir, il devra viser la barre de déviation à l'extrême droite.

— Oooooh ! Il rate le *birdie* de peu ! s'enflamme l'une des deux voix.

— S'il ne réussit pas sa normale, il se retrouvera daaaans l'eau chaaaaude ! s'excite l'autre.

— Et…

— Et…

— Et… oui ! Giiiilles Thériault est de retour dans la compétition !

À les entendre « point-d'exclamationner », je m'emballe à mon tour. Mon père et moi regardons la fin de la partie et éteignons le téléviseur, bien après que Léon soit parvenu à s'endormir. Me voilà devenu un fan fini de Gilles Thériault, de sa moustache et de ses favoris frisés.

Quand mon cadran sonne, quelques heures plus tard, je constate que la sorcellerie de mémé Poulette a encore frappé. Des cernes creux ont remplacé les dernières traces d'ecchymoses. Je ne m'en plains pas, ceux de papa sont franchement plus impressionnants ! Alors que nous attendons tous deux que le jet brunâtre salvateur finisse de couler dans la carafe de la cafetière, je marmonne :

— Hé que je n'ai pas hâte d'être vieux comme toi…

Il me lance un regard noir pour toute réponse. Il ouvre l'armoire, remplace sa petite tasse « Meilleur papa du monde » par une tasse jumbo aux couleurs de la compagnie John Deere, portant le slogan : « La Terre tourne, John Deere la retourne. » Il saisit ensuite la carafe et remplit la tasse de Luce, puis son énorme contenant, ne me laissant qu'un fond pitoyable.

— Que veux-tu, Étienne, le café, c'est pour les vieux !

Dès demain matin, la tasse John Deere sera mienne ! La victoire du minigolfeur (à moins qu'on dise plutôt « golfminiaturiste ») Gilles Thériault m'a appris que tout est possible, même quand c'est mal parti !

C'est cette inspiration qui me pousse, en plein cours de français, devant trente autres élèves et un prof un peu trop *cool*, à m'écrier :

— Oui, mes amis, dans mon exposé le mois prochain, je vous ferai aimer le minigolf !

Je me serais attendu à une pluie d'acclamations ou au moins à quelques « clap, clap » encourageants, mais non ! Seulement un long silence un peu gênant. Mais est-ce que Gilles Thériault était embarrassé, lui, en ratant sa cible si souvent ? Non, mesdames et messieurs ! Il s'est tenu bien droit. Bien droit !

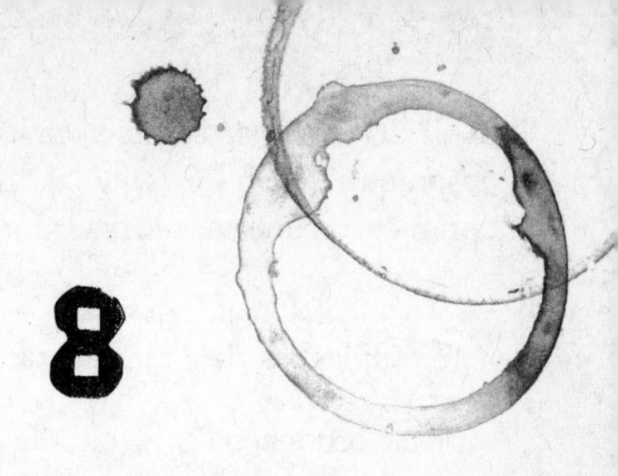

8

Je raconte à Renaud la guerre entre mon père et moi pour la conquête de la tasse jaune et verte, mais j'ai l'impression de sonner pour lui comme la prof dans Charlie Brown.

— Reeeeenaaaaaaud !

Flavie, nous rejoignant près du local d'anglais, m'arrête.

— Ne te fatigue pas, il est juste présent de corps, aujourd'hui. C'est le grand jour.

— Le grand jour ?

Je réfléchis un instant. Il ne va tout de même pas se marier sans me l'avoir dit ! Oh ! Mais non ! Ce que je suis con ! Le grand jour ! Celui où Renaud deviendra un homme, un vrai. Celui où il se libérera un peu plus de l'emprise parentale. Celui où il obtiendra le sacro-saint bout de carton plastifié : son permis de conduire ! Pour ça, il devra passer l'examen pratique. C'est pour cette raison que Renaud ne saute pas de joie. Il semble aussi optimiste qu'une gazelle devant une lionne affamée.

— Tu sais, Renaud, des fois, la gazelle, elle s'en sort! Et Gilles Thériault, il a fini par le gagner, son match!

Il ne bronche pas. Flavie, elle, fronce les sourcils, le temps de chercher un quelconque sens à mon charabia. Pas du genre patiente, elle hausse les épaules et va s'asseoir au fond de la classe en entendant la cloche sonner.

Pendant tout le cours, j'essaie de convaincre mon ami de me laisser l'accompagner. Après tout, ce permis me tient aussi à cœur! Mon ami pourra enfin s'acheter un super bolide, avec lequel nous irons skier, faire de l'escalade et du kayak sans attendre qu'un adulte soit disponible pour nous y amener!

— Pas question, Étienne! Tu vas me stresser!

— Mais non! Je ne vais pas dire un mot. Ou bien je vais me contenter de t'encourager comme une *pompom girl*. Je peux même mettre le costume! Donnez-moi un R! Donnez-moi un E! Donnez-moi un N! Donnez-moi…

— Ça sert à rien, Étienne…

— S'il te plaît ! Je pourrais voir quoi ne pas faire. Comme ça, je passerai super facilement mon permis quand ce sera à mon tour !

Notre enseignante d'anglais, Mrs. White (la même que dans Clue, je le jure !), coupe mon élan enthousiaste. Je prévoyais une finale flamboyante avec des feux de Bengale. Ma tentative échoue. Quelques heures plus tard, je suis cloîtré dans ma chambre, à faire des devoirs en attendant des nouvelles de Renaud. Un vendredi soir, quelle folie ! Tous les liens de communication sont ouverts : mon téléphone cellulaire est à portée de main et je jette des coups d'œil par la fenêtre de temps en temps, au cas où mon ami m'enverrait des signaux de fumée. Même si fumée et examen de conduite ne font pas tellement bon ménage.

18 h 31. Le téléphone sonne ; je sursaute à un point tel que mon cœur s'arrête. Je serais un démineur assez minable.

— As-tu eu des nouvelles ?

— Flavie ! Raccroche immédiatement.

— OK.

18 h 32. Un texto.

« Flavie Dupras : Et là ? Des nouvelles ? : P »

18 h 47. Un nouveau texto.

« Renaud Prince : Ma vieille fifure, je t'emmène faire un tour ! »

19 heures, la voiture laide de la famille Prince (au moins, elle s'harmonise avec la maison) s'arrête devant chez moi. Comme Flavie occupe le siège côté passager, j'ouvre la portière arrière en criant :

— Donnez-moi un R ! Donnez-moi un E !
Donnez-moi un…

— Tais-toi ou sors, m'arrête Renaud.

Flavie ajoute, en montant le volume de la musique :

— Ouais, tu enterres Sacha !

Sacha ? Ah oui ! J'oubliais les goûts quétaines de la maman de Renaud. Sacha Distel fait partie de ses « petits plaisirs coupables », comme elle les appelle, quand on se moque un peu d'elle.

Cette fois-ci, on n'ose pas changer de CD. *L'incendie à Rio* est la trame sonore idéale pour notre joyeuse folie du moment. On n'a même pas honte de constater que, après des années de voiturage avec maman Prince, on connaît maintenant la chanson par cœur !

Notre épopée nous conduit à travers les rues résidentielles du quartier, avant de nous orienter vers l'artère plus commerciale, là où s'alignent cafés, boutiques en tout genre et nombre de dépanneurs. On espère secrètement croiser quelqu'un de l'école, témoin de la victoire de Renaud et de notre « coolitude ».

Nous terminons notre célébration du permis de notre ami en passant à la commande à l'auto du McDonald's le plus près. Sur le chemin du retour, des gyrophares rouges et bleus illuminent l'habitacle de notre véhicule.

— Non ! Pas vrai ! Je suivais la limite de vitesse et j'ai fait un super long stop ! râle Renaud en se rangeant sur le côté.

Je m'enfonce dans la banquette en voyant s'approcher le policier. C'est l'agent qui nous a traînés au poste, Jef et moi ! Notre conducteur désigné le salue le plus poliment possible. Il le fixe sans parler quelques trop longues secondes. Les yeux du flic se posent ensuite sur Flavie, qui soutient son regard.

— On s'est déjà vus, mademoiselle, non ?

— C'est votre technique de drague, monsieur l'agent ?

— Bordel… Flavie… grogne Renaud.

L'agent s'aperçoit soudain de ma présence.

— Ah oui ! Je me souviens, maintenant !

Il ricane, puis revient à Renaud. J'entends presque le son des sueurs froides cascader dans le dos de mon ami.

— Tu diras à tes parents que leur feu arrière gauche est brisé.

Il reprend son ricanement en retournant à son véhicule. C'est fou ce que ce gars aime gâcher mes fins de soirée !

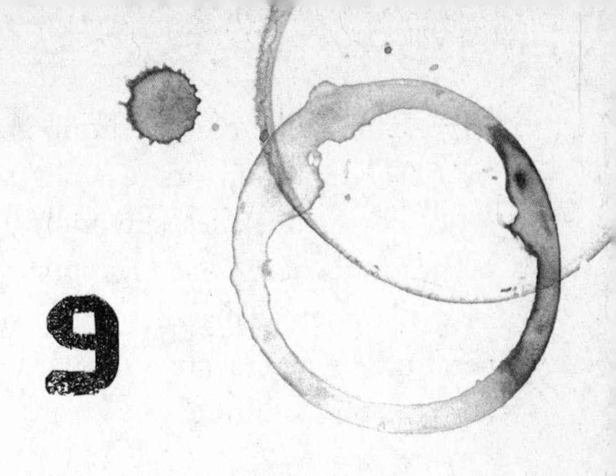

9

En matière d'acceptation des exposés oraux, je me situe quelque part entre ceux qui ne dorment pas durant les deux semaines précédant ce lourd fardeau et ceux qui l'attendent frénétiquement. Parler en public ne m'a jamais fait mourir, mais je ne me suis jamais rué sous les projecteurs pour autant. Le pire, en fait, c'est endurer les prestations des autres, puisque la plupart du temps les sujets imposés sont épouvantablement ennuyants. Mais cette fois-ci, un grand merci à Dominic (et à la maladie exotique de madame Côté), nous nous bidonnons gaiement !

Camille a parlé du travail de thanatologue, Émile a raconté la vie trépidante de Gérard, le poisson betta de sa petite sœur, et Renaud a présenté l'historique des quinze maisons les plus laides du quartier, dont la sienne.

Vient maintenant mon tour. Et je suis plus prêt que jamais ! Pendant des heures, j'ai épluché les sites des plus beaux terrains de minigolf du Québec, j'ai appris le nom des différents trous classiques, des grandes stars de ce sport, j'ai même communiqué avec la World Minigolf Sport Federation, qui m'a fait parvenir des macarons à donner à tous mes camarades et une casquette, que je porterai fièrement dès que le climat s'y prêtera. Possiblement au bal des finissants, d'ailleurs. Je trouverai une belle cravate qui s'harmonisera avec le vert du logo, ce sera sublime !

Ce n'est pas pour me vanter, mais mon exposé restera dans les annales de l'école des Hêtres pour les années à venir. Bon, peut-être pas, mais j'ai eu bien du plaisir et j'aurai sûrement une note plus que satisfaisante, c'est ce qui compte.

En sortant du local, entouré de Flavie, de Renaud et d'une meute d'élèves trop nombreux pour la largeur ridiculement insuffisante du corridor, j'entends :

— Étienne Laporte est demandé au bureau du directeur. Étienne Laporte, au bureau du directeur. Merci !

Qu'est-ce que c'est, cette fois-ci ? Monsieur Guilbert a entendu quelqu'un me traiter de petite tapette ? Il a découvert un graffiti homophobe à mon sujet dans les toilettes ?

La secrétaire finit d'écrire « lol » en commentaire à un statut Facebook avant de m'inviter à entrer dans le bureau du directeur.

— Ah ! Étienne !

Je suis à deux doigts de le reprendre en lui demandant de m'appeler Stéphane, mais je le laisse plutôt poursuivre :

— Après le dîner, un nouvel élève de quatrième secondaire se joindra à nous. Jean-Bastien. Il a dû quitter son ancienne école précipitamment et je souhaite qu'il soit bien accueilli parmi nous. J'aimerais que tu lui fasses faire le tour de l'école. Peux-tu venir nous rejoindre ici à 13 h 15 ?

J'accepte, heureux de rater au moins un cours. Une fois de retour dans la jungle étudiante, je me questionne. Pourquoi moi, si c'est un élève de quatrième secondaire ? Flavie tente quelques hypothèses :

— Monsieur Guilbert croit que tu fais pitié avec Renaud comme meilleur ami et il veut t'aider à en trouver de nouveaux.

— Il n'a pas tort.

Renaud m'assène une claque derrière la tête. Mes boucles un peu trop longues amortissent le choc.

À 13 h 15, je comprends la véritable raison. Le toupet asymétrique digne des salons les plus tendance de New York, le chandail moulant au col en V, les pantalons orangés mettant l'accent sur son déhanchement exagéré : Jean-Bastien est le parfait stéréotype de l'homosexuel.

Je trouve un peu ridicule d'être le gai de service pour cette mission « Accueillons un autre gai », même si je n'ai rien contre Jean-Bastien. Au contraire, il est loin d'être moche. Je préfère un gars qui a l'air d'avoir minimum quinze ans et qui soigne un peu moins exagérément son image, mais sinon… pas moche. J'entends dans ma tête la réplique que me donnerait Flavie à un tel discours : « Mais Étienne, c'est quoi, ton genre ? Pas trop soigné, pas trop barbu, pas trop jeune, pas trop vieux, pas trop blond, les yeux pas trop écartés, mais pas trop collés… » Et je me vois très bien lui répondre pour la faire taire : « Tu sais bien que mon genre, c'est toi ! »

En lui faisant visiter l'école, je constate que Jean-Bastien est aussi très sympathique.

— Il a l'air *cool*, le directeur.

— Monsieur Guilbert ? C'est… un directeur, quoi. Il a un peu trop le syndrome de la mère Teresa à mon goût, mais ça va.

— C'est toujours mieux qu'une directrice qui laisse ses élèves se faire insulter, retrouver des graffitis dégradants sur leur casier et attendre simplement qu'ils mangent une volée en sortant de l'école avant de faire quoi que ce soit…

Soudain, je me sens un peu mal d'avoir critiqué notre nounours de directeur devant Jean-Bastien. Il n'entre pas dans les détails, mais je sens bien que la vie n'a pas été rose depuis sa sortie du placard. Je remarque aussi la cicatrice plutôt fraîche au-dessus de sa nuque. Je réalise une fois de plus la chance que j'ai d'avoir des amis et une famille aussi ouverts et soutenants !

— Oh ! Euh… Oui. Je préfère Guilbert. Et je crois que tu n'as pas trop à t'en faire ici. La meute des Hêtres peut parfois être stupide et immature, mais rarement bien méchante.

Et comme pour prouver mon point, à la pause, deux filles que je connais plus ou moins nous arrêtent pour dire :

— C'est génial, Étienne ! Un autre gai ! Tu vas pouvoir avoir un *chum* !

Qu'est-ce que c'est que ce commentaire ridicule ? Évidemment, mettre deux homosexuels dans la même polyvalente (qui en contient déjà probablement bien plus !) mènera à un mariage heureux ! Bienvenue à « Occupation Double, version des Hêtres » ! Je lance un regard découragé vers Jean-Bastien. Le pauvre gars va se demander dans quelle école d'imbéciles il vient de tomber ! Étrangement, il semble plus soulagé que décontenancé.

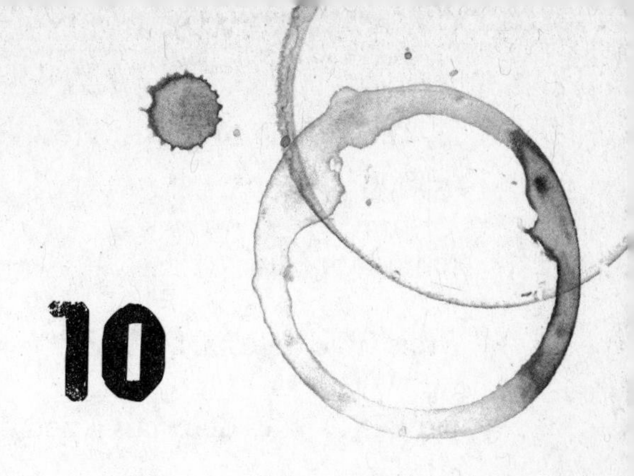

10

Avec le permis de conduire de Renaud (et potentiellement le mien dans quelques mois…) viennent des tonnes de plans pour les vacances d'été. Février n'est pas trop tôt pour y penser. Surtout quand la fenêtre du sous-sol de la maison laide de Renaud est complètement obstruée par une neige compacte et que, du coup, notre besoin de lumière est à son plus haut niveau.

— Cet été, je vais probablement être animatrice au camp de jour. J'aurai sûrement besoin de vous autres pour décompresser pendant les fins de semaine ! projette Flavie.

— Avec ton expérience d'assistante-monitrice de l'an dernier, tu crois vraiment qu'ils vont t'engager ? se moque Renaud.

— Combien de fois je vais devoir vous rappeler que ce n'est pas moi qui ai essayé de noyer le petit Mikaël ! C'était un accident. D'ailleurs, je n'étais même pas là, j'étais avec un autre groupe cette journée-là! se défend-elle.

Je lui rappelle :

— Mais tu le détestais, non?

— En fait... je les détestais à peu près tous! répond-elle en riant.

Elle est ignoble. Je l'adore.

— Je vais sûrement travailler pas mal au dépanneur, mais dès que je serai libre, je compte me sauver le plus loin possible au fond du bois, là où je ne me ferai pas insulter parce que j'ai demandé une carte d'identité à un gars de vingt ans avec une *baby face*, obstiner sur le prix de la gomme balloune ou rapporter du lait suri d'une marque qu'on ne vend même pas pour un remboursement!

Leurs paires d'yeux attendent d'entendre mes projets. Ils l'auront voulu :

— Mon père m'a dit : « C'est le dernier été où tu peux te permettre de ne rien faire du tout. Profites-en donc! »

— Penses-tu que ton père accepterait de m'adopter? me supplie Flavie.

— Attends avant de trouver mon papa si *cool*... Je sais bien qu'il veut que je sois à la maison le plus souvent possible pour garder Léon ! Moi aussi, j'en aurai besoin, de ces fins de semaine en kayak et en camping.

— Dans ta tente qui sent le mulot mort ? se moque Flavie.

— Et tu as toujours envie de faire du kayak, après la dernière descente de rivière de l'an dernier ? ajoute Renaud.

Ah, la catastrophique descente ! Comment l'oublier ! J'essaie encore de convaincre les plus sceptiques que la roche était impossible à apercevoir de mon point de vue et que les kayaks du parc sont aussi dignes de confiance que des radeaux en bâtons de Popsicle. N'importe qui aurait crié comme une fillette en sentant la coque de son embarcation casser comme une coquille d'œuf dans ces remous terrifiants ! Bon, finalement, le kayak n'avait rien du tout et mon cerveau imaginatif m'a visualisé mort noyé avec un peu trop de rapidité, mais je m'étais promis de ne plus jamais faire confiance aux bateaux de location. Je me suis aussi résolu à ne plus crier comme une gamine, à moins de rencontrer un ours de sept pieds minimum. Bien sûr, je prendrai le temps de le mesurer avant d'émettre le moindre son.

— Je pourrais m'acheter un kayak.

— Il faudra que tu le gardes souvent, ton petit frère, pour te payer un kayak ! fait remarquer Renaud.

— À moins que…

Alors que j'essaie de me tenir loin des trop nombreux grands projets de monsieur Guilbert (sauf le projet « Toilettes nettes, école heureuse », parce que, quand même, les urinoirs sont 80 % moins dégoûtants depuis), cette fois-ci, j'y vois la solution à mon problème. Le grand projet « Bénévolez dans votre communauté, payez-vous des activités » (ou tout autre nom que j'ai oublié) pourrait m'aider à me procurer ma propre embarcation ! Peut-être pas le modèle dernier cri, mais un petit bateau qui ne coulera pas, au moins.

Je ne cherche pas longtemps comment faire grimper mes heures en flèche sur le « Grand tableau du bénévolat ». J'imagine que passer davantage de temps avec mes petits vieux favoris à la résidence Beauséjour fera l'affaire ! Mais pour inscrire mes heures, je dois faire signer une feuille à chacune de mes visites par un représentant de l'endroit : Marie-Méfianta.

Je prends donc mon courage à deux mains. Quand cette « charmante » dame m'ouvre, sans trop porter attention à moi (disparue, sa méfiance ? Je devrai la rebaptiser…), je lui dis :

— Madame, j'aimerais faire du bénévolat ici. Je vois que vos pensionnaires n'ont pas beaucoup de visite et…

— Est-ce que ça va me coûter quelque chose ?

— Non. C'est le principe du bénévolat. Juste une signature chaque semaine.

— D'accord. Mais tu es un jeune bizarre de vouloir passer du temps avec ces… personnes âgées.

Son surnom lui sied toujours à ravir, finalement.

Ainsi, durant le mois suivant, je passe une demi-journée par semaine avec mes nouveaux amis. Je leur montre les rudiments du jeu de cartes « le trou de cul », les laisse m'enseigner davantage de techniques de tricot. J'écoute encore et encore leurs histoires de jeunesse, leurs critiques des jeunes d'aujourd'hui (« mais pas toi, Étienne ! Toi, tu n'es pas comme ça… »), de la météo, des patates pas assez pilées du dîner. Oui, je l'avoue, c'est parfois pénible, mais je me répète qu'à leur âge ils sont suffisamment riches en pépins quotidiens, en contretemps de tout acabit et en mésaventures d'une vie entière pour se payer ce genre de luxe. Et puis il y a le sourire de mémé Poulette, un sourire qui vaut tous les emmerdements de la terre. Quand elle éclate de rire en me voyant manier les aiguilles, je sais que j'hériterai de toute sa fortune (40 $ et la table de Jimi Hendrix que son fils Pierre a récupérée avant moi) !

À la fin du mois de février, je suis troisième au « Grand tableau ». Felipe Agusti, troisième secondaire, finira bien par se lasser de promener les chiens du chenil et Alice Thibodeau-Robichaud, deuxième secondaire, garde son petit frère beaucoup moins souvent, ces dernières semaines. Quoi ? Garder son petit frère, ça fonctionne ? Luce me doit quelques signatures !

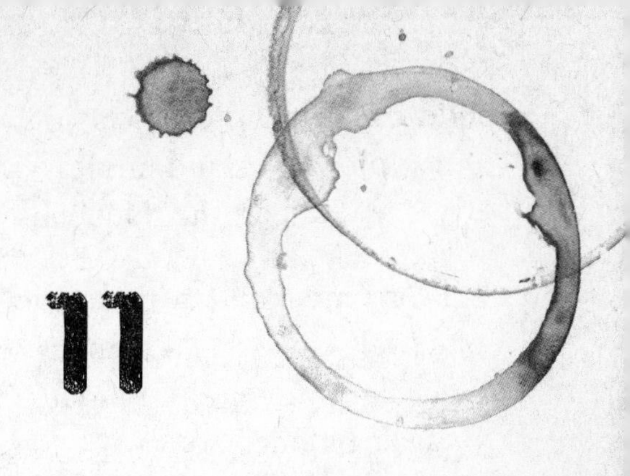

11

Je suis victime de torture un matin de fin de semaine sur deux. Mon bourreau a deux ans et son arme est un oiseau qui chante : « Le papa pingouin, le papa pingouin, le papaaa, le papaaa, le papa pingouin, le papa pingouin s'ennuie sur sa banqui-ise ! » Luce finit par baisser le son de la télévision, mais c'est trop tard, le ver d'oreille a fait son nid dans mon tympan. Est-ce qu'un ver peut vraiment faire un nid ? Je ne croirais pas, non. Tant qu'à être réveillé et à me poser d'aussi sordides questions, j'enfile la première paire de jeans qui traîne près de mon lit et je m'assieds à ma table de travail. Chimie, anglais, mathématiques ou bacon. Bacon ? Oui ! C'est bien une odeur de bon gras fumé qui ensorcelle mes narines. Bacon 101 ce sera !

— C'est pour compenser ton réveil brutal, me dit Luce en me faisant un clin d'œil et en me tendant un café… dans la tasse John Deere !

Victoire ! Je ne sais pas ce que disait le numéro de février de son magazine de parentage, mais je dois un solide « tape-m'en cinq » à toute l'équipe! Tape-m'en cinq… pff! Le grand projet « Parlons notre langue belle » de Guilbert me traque jusque dans ma cuisine!

— Ta mémé Poulette a appelé, elle voulait savoir si tu avais envie de l'accompagner au cinéma. Je pense qu'elle commence à s'inquiéter du fait que tu n'aies pas de blonde…

Ouais. J'envoie un texto à Flavie, me disant qu'elle le prendrait quand elle se réveillerait, mais à ma grande surprise, elle répond aussitôt.

« Qu'est-ce que tu veux, vermine? »

Je l'appelle, lui explique que j'aimerais bien lui présenter ma mémé Poulette. Une petite visite bien anodine, quoi! Elle grogne :

— Tu n'es pas allé voir tes vieux, hier?

— Oui, mais là, ce ne serait qu'un petit coucou à ma mémé préférée.

Elle grogne.

— Et si je te donne les réponses du devoir de chimie dès que je l'aurai fini?

Elle grogne.

— Et je te paie un *cupcake* à la pomme grenade.

Elle grogne.

— Tu exagères, là ! On se retrouve à midi et demi en face de la résidence.

Je n'étais pas certain que Flavie viendrait me rejoindre. Je suis donc très heureux de la voir tourner le coin de la rue. Je m'empresse de lui tendre sa pâtisserie dès qu'elle est assez près pour remarquer l'extra crémage.

— Flavie, tu vas l'adorer. Et elle va t'adorer aussi. C'est la mamie la plus *funky* de l'univers !

— Et elle trouve ça *funky*, que tu sois aux hommes ?

Je marmonne entre les dents :

— Elle ne le sait pas.

— Quoi ? Mais franchement ! Si elle est aussi ouverte que ça, tu devrais lui dire la vérité !

— *Nope*. Fais-en pas un drame, Flavie, s'il te plaît.

— Et ton beau discours de l'autre jour, comme quoi la honte, c'était le début de la mort et bla bla bla ?

J'essaie de calmer Flavie, alors que nous remontons l'allée. Nous restons un instant figés devant les chaises autoberçantes, accessoires parfaits d'un futur film d'horreur. Je ne m'y habituerai jamais. À l'intérieur, le regard de la quinquagénaire au pantalon olive est encore plus méfiant qu'à l'habitude. Peut-être parce qu'elle n'a jamais vu deux jeunes entrer dans cet endroit en même temps.

— Nos pensionnaires dînent.

— On ne veut pas déranger ! Je veux seulement saluer ma mémé…

Elle balance son bras vers la salle à manger, signe qu'elle s'en fout, finalement.

Je n'ai jamais pénétré dans d'autres pièces que la salle Roger-Ferron. Celle-là est encore plus déprimante. L'odeur ressemble étrangement à celle de la cafétéria de notre école. Pas une bonne chose. Pour le reste, aucune comparaison possible ! Alors que nos midis se déroulent dans un vacarme constant, ici, seuls les bruits des petites cuillères se font entendre. Les cuillères et un cri de mémé Poulette.

— Mon Étienne avec une fiiiiiille !

Flavie tourne vers moi sa gueule de bouledogue en beau tab… arnouche.

— Tu m'as amenée ici pour jouer ta blonde, c'est ça ?

Je le constate maintenant, c'était un mauvais plan. Mais il est trop tard, mémé Poulette trotte jusqu'à nous et nous serre très fort contre elle.

— Venez !

Nous rendre jusqu'à l'autre bout est une lourde tâche, étant donné que tous veulent me saluer, se plaindre de la météo ou me répéter à quel point ils ont la cote auprès de leurs petits-enfants depuis qu'ils savent jouer au « trou de cul ». Nous aboutissons finalement à la table de Paulette, Blanche et monsieur Pringles. Mon ancêtre vole une chaise à la table voisine, tandis que Flavie pointe une autre place inoccupée.

— Je peux ?

— Mais bien sûr, ma belle ! Il n'en aura pas besoin, il est mort la semaine passée !

La réplique de mémé me donne froid dans le dos, son éclat de rire encore plus. Blanche et Pringles sont tout aussi hilares. Je ne pige pas l'humour gériatrique.

— Présente-moi donc cette belle demoiselle ! C'est ta petite copine… officiellement ?

Ça y est, elle se tortille les mains, salivant devant le potentiel potin comme une enfant devant une jarre à biscuits. Dès les premiers mots de Flavie, je connais ses intentions.

— Madame, il faut que quelqu'un vous dise la vérité et, coudonc, ce sera moi.

Elle veut enfoncer la tête de ma mémé dans une chaudière de vérité. Ça va la tuer !

— Ma princesse (je creuse ma tombe avec ce mot doux) ! Pas besoin de faire de chichis avec ma mémé, tu peux simplement lui dire qu'on est des amoureux depuis une semaine !

Poulette me tape une main et lance :

— Étienne ! Laisse parler ta copine ! La galanterie, ce n'est pas pour les chiens ! Tiens ! Prends mon dessert et écoute ce que cette jolie demoiselle a à dire.

— Madame... Poulette, votre arrière-petit-fils est homosexuel. Ce n'est pas un crime et pas une maladie, vous savez !

Comme dans les mauvais films, toute la salle se fige. Même les petites cuillères se taisent. Je crache ma bouchée de carré aux petits fruits non identifiés, et pas seulement parce qu'elle ne semble pas comestible.

Blanche et Pringles ont glissé de cinq centimètres sur leurs sièges, espérant disparaître. Je trouve le courage de soutenir le regard de mémé, un regard que je n'arrive pas à lire. J'y décode de la déception, peut-être. Un peu de colère, aussi.

— Étienne ! Je ne peux pas croire que tu ne m'aies pas dit ça avant ! Tu t'attendais à quoi ? À ce que je te déteste pour ça ? Petit con ! Pe-tit CON !

Elle se lève, vacille une seconde, puis retrouve sa droiture, le menton empruntant l'angle digne des duchesses et autres nobles. Elle circule entre les tables, s'arrêtant de temps à autre pour déclarer à des oreilles aléatoires (peut-être choisit-elle les moins sourdes) :

— Mon arrière-petit-fils est gai. Vous avez un problème avec ça ? Eh bien, moi non plus ! Vous irez lui dire, il me prend pour une cinglée !

Elle les fixe ensuite un à un, comme si elle espérait secrètement que quelqu'un ose la défier. Mémé battante n'a pas sorti ses gants de boxe ni ses convictions à défendre depuis trop longtemps. Mais il leur reste un soupçon d'envie de vivre, à ces vieillards. Ils se contentent donc de se renfrogner en se tournant la langue soixante-dix-sept fois avant de parler, faisant valser les dentiers dans les bouches bien closes.

Je sens tous les regards converger vers ma face, qui prend doucement une teinte de coucher de soleil. Mémé les connaît, pourtant, ses colocs. Elle sait à quel point ils peuvent être conservateurs (et je pèse mes mots) ! J'aperçois une dame que je connais très peu faire un signe de croix. Elle va certainement envoyer le curé à mes trousses pour me purifier l'âme ou je ne sais quoi.

Mais mémé ignore les sourcils froncés. Ou elle prévoit faire imposer le respect à mon endroit, par la force, s'il le faut.

Le repas terminé, nous nous apprêtons à partir, mais mémé Poulette en a décidé autrement.

— Venez avec nous dans la grande salle, on va se conter des blagues.

« Des blagues de monsieur mort? Non, merci! » disent les beaux yeux ambrés de ma nouvelle blonde, qui me supplient de trouver une solution. Comme des tactiques similaires fonctionnent habituellement avec les personnes âgées et les enfants, sans trop réfléchir, je fais la même proposition qu'à Léon, la dernière fois que je l'ai gardé et qu'il refusait de se coucher :

— Mémé, on va chanter une chanson et après on s'en va.

Les yeux de Flavie cessent de supplier, maintenant, ils me fusillent! Mais Poulette, Blanche et Pringles ont l'air si heureux qu'elle plie.

— Ça va te coûter cher, mon nouvel amoureux... chuchote-t-elle en souriant exagérément.

Flavie et moi aidons Blanche et Paulette à traverser le corridor. Elles n'en ont pas vraiment besoin, mais ça leur fait tellement plaisir!

Monsieur Pringles, arrivé avant nous, a la tête dans une grande armoire, d'où il sort des fils en tout genre.

— Attendez ! Attendez ! On a un vrai de vrai micro !

Marie-Méfianta, intriguée et sûrement inquiétée par l'excitation inhabituelle d'après-dîner, passe la tête dans le cadre de la porte.

— Vous n'écoutez pas votre téléroman ?

— Non ! On a un spectacle ! chantonne Blanche.

Marie-Méfianta fronce les sourcils et dit sèchement :

— Ah ! Je n'étais pas au courant !

Je ne me lasse pas de la trouver aussi charmante. Et contrôlante. Il est trop tard pour reculer, les plus en forme de la bande de vieux gamins ont déjà aligné les chaises, et monsieur Pringles a branché le micro et l'amplificateur. Pas jeune, jeune, comme équipement ! La relique a probablement servi à Montcalm pour divertir ses troupes avant la bataille des plaines d'Abraham. Il chantait *Alouette* comme pas un, semble-t-il !

— Maintenant, champion, on chante quoi ? demande Flavie.

Plein d'une assurance toute nouvelle, je saisis le pied du micro comme une star du rock et j'entonne *L'incendie à Rio*.

— En pleine nuit une sirène appelle au feu tous les pompiers…

Flavie n'est pas ma nouvelle flamme pour rien : elle bougonne souvent, voire tout le temps, mais elle finit toujours par me suivre dans mes délires. Cette fois-ci, elle danse et chante comme une choriste bien convaincante. Nous faussons épouvantablement et, comme j'ai commencé la chanson trop aiguë, nous peinons par moment, mais notre auditoire s'éclate. La moitié ne doit pas entendre grand-chose de toute façon.

Je laisse la dernière note mourir lentement ; on nous demande un rappel. Cette fois-ci, Flavie me prend le micro des mains, m'accrochant le nez au passage. Ouch !

— Désolés, mesdames et messieurs, c'était la fin du spectacle ! Suivez notre page Facebook pour plus de détails sur notre tournée mondiale ! Merci !

Mémé Poulette se précipite sur nous.

— Vous avez même fait sourire monsieur Julien ! Depuis que je suis ici, je n'avais jamais vu ça ! En fait, je pensais que son visage se fendrait s'il se permettait de sourire. Vous étiez fabuleux !

Elle nous serre dans ses bras. Suivent des bisous sonores, puis un :

— Filez ! Vous avez mieux à faire de votre fin de semaine ! De toute façon, faut qu'on y aille si on ne veut pas rater notre vue. Un film d'amour ! J'espère qu'on va voir un peu de peau ! Ha ha ! Raymond, va chercher ton manteau, on part !

Monsieur Pringles se presse. Mémé lui tape une fesse au passage. Ai-je bien vu ? Comme Flavie essaie de cacher un fou rire, j'imagine qu'elle a aperçu la même chose que moi. Je cherche du regard une autre image à imprimer sur ma rétine, question de chasser cette information qui n'est pas la bienvenue dans ma tête.

Heureux de me changer les idées, j'aperçois monsieur Julien s'avancer vers nous si lentement qu'une bonne vingtaine de secondes m'est nécessaire pour savoir s'il s'approche où s'il est juste coincé debout.

Quand il arrive près de nous, il me serre le bras de sa main tremblotante et me dit simplement, dans un râle :

— Merci.

Je lance spontanément à Flavie :

— Je ne te retiens pas, mais moi, je resterais un peu.

Ma princesse se transforme en Road Runner et fuit dans un nuage de poussière. Deux minutes plus tard, ses insultes feront exploser mon téléphone cellulaire. Elle finira par me pardonner. Je sais qu'elle a a-do-ré chanter du Sacha Distel sur scène avec moi.

Mémé Poulette me serre dans ses bras et part main dans la main avec Raymond Pringles, apparemment son amant. Brrr ! La suite du film d'horreur…

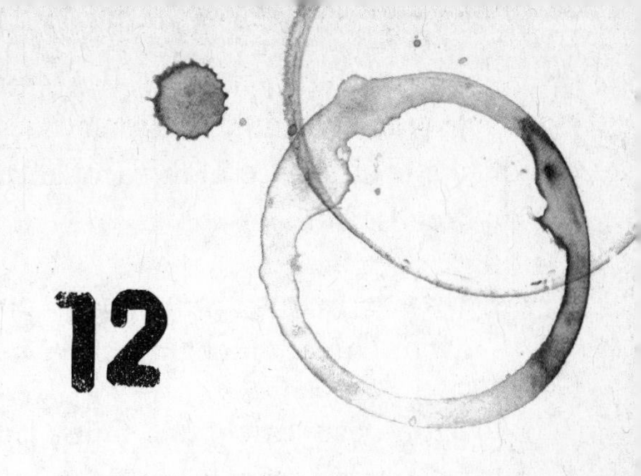

12

J'aide monsieur Julien à s'asseoir dans son fauteuil, avant d'être hélé par mes joueurs de « trou de cul » préférés.

— Étienne ! Viens donc jouer aux cartes avec nous autres !

Monsieur Julien me fait signe d'aller les rejoindre. Mon arrivée à la table provoque le départ de monsieur Normand. Celui-ci est visiblement peu à l'aise avec la nouvelle annoncée plus tôt par mémé Poulette. Je ne sais pas trop si sa réaction me rend triste ou en colère. Les autres font comme si de rien n'était, à part monsieur Robert, qui s'assure que mes mains restent bien sagement à une distance acceptable des siennes. Ça leur passera. J'espère. En attendant, je leur rappelle pour une vingtième fois que les deux sont plus forts que les as. Puis je les bats pour une quatorzième fois. Pour une quatorzième fois, Germain rit, Paul boude et refuse de jouer de nouveau.

Je vais ensuite m'asseoir près de Blanche, pour qu'elle m'aide avec mon tricot. Enfin... avec ma motte de nœuds.

— Blanche, croyez-vous que je pourrai finir ma tuque avant l'hiver prochain ?

— Mon beau Étienne... tiens, je vais te donner 10 $, tu iras t'en acheter une.

Elle se moque de moi ! La petite coquine, va. Elle ajoute :

— Je vais aller me reposer dans ma chambre. Ne viens pas me rejoindre, là !

Mémé Poulette a déteint sur cette pauvre âme pure. Je ris et l'aide à se relever. Il serait peut-être temps pour moi aussi d'aller me plonger le nez dans mon livre de chimie. Je dois un devoir à ma princesse. Mais avant que je me relève, monsieur Julien se pose lentement sur la chaise que vient de quitter Blanche.

Monsieur Ju, comme je me plais à l'appeler, ne fait pas partie de mes confessés habituels. Il est peu bavard et semble plus intéressé par la chaîne météo que par moi. Et je respecte ça. Il doit avoir plus de quatre-vingt-dix ans, il n'en a rien à faire, d'un petit cul de dix-sept ans !

Je lui souris pour le mettre à l'aise, sans succès. Plus je le regarde, plus j'ai l'impression qu'il vient de s'asseoir sur un hérisson.

— Jeune homme, tu es une bonne personne.

Ça me rassure, il n'est pas en train de faire une crise cardiaque. Il reprend la parole.

— Tu sais, tu vis à une bien belle époque. Profites-en.

Il détache chacune de ses syllabes, souffle entre chaque mot.

— *ON* vit à une belle époque, monsieur Julien.

— Bof, moi, je survis. Ça me suffit. Je ne dis pas ça pour me plaindre, j'ai eu une vie bien assez remplie. Il reste pas bien bien de place pour du neuf…

Il hoche la tête, fixe un nœud dans une latte du plancher, revient à moi. Il me sourit. Ce qui me frappe d'abord, c'est toute la gêne qui transpire de ce sourire. Puis le dentier trop flottant dans sa bouche.

— Vous autres, les jeunes, vous avez plein de choix. Il y a tellement de métiers, maintenant ! Des *jobs* qui existaient pas dans mon temps, avec l'informatique pis toute. Ouin... Vous avez bien des choix... Si tu ne veux pas devenir médecin, comme le voudrait madame Paulette, fais d'autres choses.

Nouveau regard vers le nœud, nouveau sourire au dentier trop flottant. Puis les yeux retournent au nœud, passent par sa pantoufle bourgogne, atterrissent sur mon genou, volent jusqu'à mon épaule, pour se poser finalement quelque part entre mes sourcils.

— Tu es fin, toi. C'est bien, ce que tu fais pour ton arrière-grand-mère et pour nous autres. Les gens t'aiment bien, ici. Là, fais-toi z'en pas, ils vont te regarder de travers à cause de… ton… orientation, mais ils vont avoir oublié demain.

Je souris. Il n'a pas à savoir que sans un directeur zélé je serais probablement ailleurs…

— J'ai une famille, tu sais. Quatre beaux enfants. Ils sont occupés... ils sont bien occupés. Mon plus vieux, Guy, est médecin. Mes filles, Marie et Louise, sont toutes les deux enseignantes de mathématiques, et puis mon plus jeune, Daniel, il est dans l'informatique. Ils sont bien occupés. Je les aime beaucoup, mais... Je ne sais pas si...

Il essaie de me dire quelque chose. Mais quoi ? Chaque mot semble inspiré par le dalaï-lama. C'est comme si toutes ses idées requéraient une combinaison à mille chiffres.

— Ouin... C'est tellement différent, de nos jours. Au Québec, en tout cas. Tout est plus facile, dans le fond. Il reste encore des préjugés, mais ce n'est pas comme avant... J'ai quatre-vingt-six ans, moi, tu sais. Ouin.

— J'espère me rendre aussi loin et de façon aussi vaillante que vous !

— Tu es fin. Tu es bien fin. Si j'avais quinze ans aujourd'hui, je ne pense pas que ma vie serait pareille. Je ne pense pas que j'aurais des enfants. Je les aime, mes enfants ! Mais ça serait différent. C'est tellement plus ouvert.

La voilà, la combinaison ! Il m'avoue ce qu'il n'a jamais osé dire à qui que ce soit, pas même à sa descendance. Surtout pas à sa descendance, en fait.

— Ça doit pas être facile de cacher pendant toute une vie qui on est vraiment...

À ces mots, monsieur Julien comprend que j'ai compris. Il n'a rien à ajouter pour que je parvienne à me raconter moi-même l'histoire de cet homme coincé dans un univers clérico-conservateur et souffrant d'une maladie terriblement grave : l'homosexualité.

Quand vient l'heure de mon départ, monsieur Ju pose sa main sur la mienne et, alors que je m'attends à des remerciements, il chuchote plutôt :

— La prochaine fois que tu viendras, m'apporterais-tu une bière en cachette ?

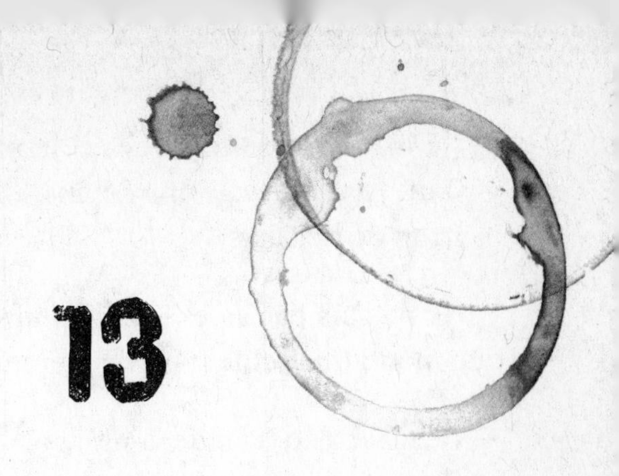

13

Téléphone. Impossible. Personne n'oserait. Appeler AVANT que Léon fasse hurler le petit maudit pingouin un samedi matin ? Impossible. Je passe par une première phase de déni : la sonnerie n'existe pas. Puis par une phase d'acceptation : la sonnerie existe, MAIS ce n'est pas pour moi.

— Étieeeeenne ! Téléphooooone !

Nooooon ! Qui ?

— Allô ?

— Étienne.

— Flavie. Je te déteste. Tu pouvais pas appeler sur mon cell ?

— Il était fermé.

— C'est précisément pour ça que je voulais que tu appelles sur mon cell…

— Je m'excuse de te réveiller. Je m'excuse à moitié, en fait. Je t'en devais une depuis *L'incendie à Rio* devant trop de dentiers.

Je ne suis pas assez éveillé pour m'obstiner. Surtout que mon amie semble particulièrement sur les dents.

— Je n'ai pas dormi de la nuit.

Est-ce que je lui fais remarquer que c'est encore la nuit ? Trop tard. Elle est repartie.

— Ma vie est finie, Étienne ! FINIE ! J'ai fait tout ce que j'ai pu, mais ils ne veulent rien entendre. RIEN ! Et c'est lundi. C'est trop tard.

— Qui ça, « ils » ? Qu'est-ce qui est lundi ?

— La date limite d'inscription au cégep, grosse nouille !

— Ben voyons, on avait rempli nos demandes ensemble ! La mienne est envoyée depuis deux semaines !

— Je l'avais remplie en me disant que j'allais bien finir par convaincre mes parents. Mais non, ils veulent encore et toujours que je m'ouvre des portes en allant en sciences pures ! « Franchement, Flavie ! Une fille brillante comme toi ! Tu pourrais être médecin ! » « Médecin ? Le sang m'écœure ! » « Mathématicienne, alors ! Regarde ta sœur, elle a pu aller en médecine dentaire grâce à ses sciences pures. » Aaaaaaaarg !

— Pourquoi tu me parles de ça à moi, princesse ?

— Parce que j'ai besoin de ton soutien !

C'est vrai que je devrais être solidaire. J'ai eu, moi aussi, une conversation similaire avec mon père, qui trouvait qu'avec ma culture générale et mon vocabulaire qu'il considère « au-dessus de la moyenne des ados » je ferais peut-être bien de pousser la réflexion plus loin avant de m'inscrire en tourisme d'aventures.

— Tu pourrais viser une carrière un peu plus intellectuelle, non ?

Luce l'a fait taire en moins de deux :

— Mon chéri, es-tu en train de dire que les professions « moins intellectuelles » sont forcément pratiquées par des gens à la connaissance générale moindre et au vocabulaire plus restreint ? Rappelle-toi que ta blonde est coiffeuse avant de répondre.

La discussion s'est terminée par :

— Dans le fond, Étienne, fais donc ce que tu as envie de faire. De toute façon, si tu changes d'idée, tu auras en masse le temps d'aller à l'université !

Solidarité, donc. Je suis resté silencieux une seconde de trop au goût de Flavie. Elle se racle la gorge sans subtilité, ce à quoi je réponds :

— Ma princesse, tu n'as pas vraiment le temps de les convaincre, maintenant. Envoie ta demande tout de suite et on verra après ce qu'on peut faire.

— Sais-tu, Étienne, je commence à aimer que tu m'appelles princesse. Je vais essayer de dormir maintenant.

Elle raccroche sans me remercier. Ça ne fait rien, je sais qu'elle est reconnaissante. Je referme les yeux et m'assoupis de nouveau jusqu'aux premières notes du bébé pingouin.

Cette fois-ci, ma compassion se réveille en même temps que le reste de mes principales facultés. Ma princesse a la manie de tout exagérer. Même le contenu de ses lunchs subit des remarques acerbes chaque midi. Le pire, c'est qu'elle les prépare elle-même ! Mais je l'avoue, son inscription au cégep, ça reste un gros morceau. Un sujet pour lequel la panique et l'excès sont permis.

Je rappelle Flavie en fin d'avant-midi et je la réveille (tant mieux !). Je l'invite à aller prendre un café en début d'après-midi – elle n'a pas vraiment le choix d'accepter. Après le dîner, je rejoins d'abord Renaud au dépanneur, où il travaille toute la journée. Je lui résume la situation au moment où la porte tintinnabulante annonce l'arrivée d'un client : un moustachu-cravate-à-l'air-bourgeois.

— Jeune homme, vendez-vous du Pepto-Bismol?

— Désolé. Essayez plutôt à la pharmacie. La plus proche est au coin de…

— C'est parce que c'est urgent.

— Ah! C'est urgent! Alors regardez sur la tablette juste là, à côté des… Ah non! Pour les urgences, on n'en a pas non plus.

L'homme bougonne devant la moquerie de mon ami et sort en grognant.

— Je me demande comment ça se fait que tu n'as pas encore été renvoyé, grand con…

— Je vois trop de clients, ces temps-ci. Pour rester sain d'esprit, faut que ça sorte. De toute façon, le gérant est beaucoup plus arrogant que moi.

— Alors garde cette *job* longtemps.

Cette fois-ci, le ding-ding accueille notre amie Flavie. Je nous sers à chacun un café (que j'oublierai de payer), j'emprunte un stylo à Renaud (que j'oublierai de lui rendre) et je déplie une caisse de bière vide en guise de feuille brouillon.

— Bon ! Comment convaincre les parents de notre princesse du bien-fondé de sa future carrière de photographe internationale ?

— Utiliser des termes comme « bien-fondé » et « carrière internationale » me paraît un bon début, m'agace Renaud.

À la dernière goutte de notre deuxième café (que je ne payerai pas plus), notre liste ressemble à ceci : 1) envoyer les parents en exil sur une île lointaine pour les trois prochaines années ; 2) monter une exposition photo dans un grand musée new-yorkais ; 3) faire croire pendant toute la durée de ses études qu'elle suit les cours d'un autre programme, en laissant traîner des manuels de chimie et de mathématiques dans les quatre coins de la maison.

Nous choisissons finalement une stratégie axée sur un plan d'attaque plutôt risqué, qui jouera sur les émotions : aider Flavie à élaborer un projet photo époustouflant qui saura toucher ses parents et agir en quelque sorte comme une lobotomie. Risqué, mais c'est sa seule chance.

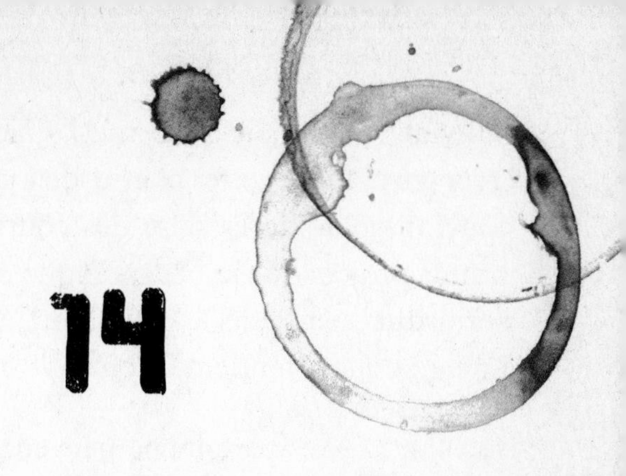

14

Renaud, Flavie et moi soupirons de satisfaction en franchissant les portes de l'école. Brian sort en même temps que nous.

— *Party* de début de semaine de relâche ce soir chez nous, vous venez ?

Comme la couleur d'origine de mon visage me plaît, je me contente de sourire, de le remercier et de répondre un « peut-être » qui ne trompe personne.

Alors que Brian repart lancer son invitation à tout vent, Flavie m'agace :

— Un autre petit combat de boxe, ça ne t'intéresse pas ?

— Non, merci ! Ma semaine de relâche sera douce comme un air printanier, et zen comme un bourgeon hâtif.

— C'est fou ce que tu peux être gai quand tu veux, Étienne ! s'exclame Renaud.

Malgré tout, je sens mes amis assez sereins pour créer eux aussi cette poésie de bas étage. Nous n'en pouvions plus de la valse des cours endormants et des grands projets de vie pédagogique et communautaire de notre directeur zélé. Maintenant, les pistes de planche à neige nous attendent ! Renaud nous rabat la joie :

— Nan… Mes parents ne peuvent pas me prêter l'auto cette semaine, mon père part avec pour un voyage d'affaires.

— Mais pourquooooi ? Qu'il quitte son boulot, c'est tout ! s'écrie Flavie devant une telle injustice.

Il faut dire qu'elle prévoyait commencer son entreprise de séduction de ses parents par des photos de la montagne…

Je suis tout aussi déçu, mais qu'à cela ne tienne. Je ne peux pas profiter des derniers jours de glisse ? L'été prochain, je pagaierai à bord de MON kayak. Sur le grand tableau des « bénévoleux », l'infatigable Felipe Agusti a maintenu sa cadence, mais Alice Thibodeau-Robichaud traîne de la patte. En quelques parties de « trou de cul », quelques rangs de tricot et l'écoute d'une dizaine de confessions, je leur ferai un incroyable pied de nez, à ces gamins insupportables ! Ils sont agaçants, à aider les autres comme ça !

Je tente de consoler Flavie, comme on consolerait une fillette qui a vu sa boule de crème glacée rejoindre mollement le trottoir.

— Ne t'en fais pas, ma princesse. Avec la chaleur qu'on annonce, les conditions vont être désastreuses le jour, et mon père voudra sûrement nous conduire le soir. J'ai un plan pour toi : viens avec moi à la résidence de mémé Poulette pour prendre des photos. Ils sont si touchants, mes vieux! Tes parents ne résisteront jamais à ça!

— Est-ce que c'est une ruse pour que je chante encore *L'incendie à Rio*? Parce que si c'est le cas, je te fais avaler le micro!

Je ne suis pas particulièrement regardant sur ce que je mange, mais je ne prends pas sa menace à la légère. Ainsi, le lundi après-midi, quand monsieur Pringles nous demande si on « poussera la note cette fois-ci aussi », je réponds poliment : « Pour ma santé gastrique, on devra remettre le concert à une date ultérieure. »

Pendant un peu plus d'une heure, l'œil numérique de ma photographe préférée traque nos mouvements, alors que tous oublient sa présence. Tous sauf Blanche, qui la suit pas à pas, lui répétant fièrement que son neveu est un grand photographe. Un peu pour se débarrasser de la dame, Flavie prend les coordonnées du neveu en question et promet à la légère de le contacter un jour.

Le lendemain midi, je laisse l'artiste baigner dans un repos bien mérité et je me dirige vers ma bande de joyeux aînés. Mais avant, un arrêt s'impose au dépanneur où travaille Renaud. J'ai tourné la demande de monsieur Julien de tous les côtés et j'en suis venu à me dire qu'il y avait des limites à infantiliser les gens. Que s'il voulait une bière, je pouvais bien lui en apporter une. Ce n'est pas comme s'il avait exigé une ligne de cocaïne, quand même !

Je jase de météo avec mon ami jusqu'à ce que le commerce soit vide.

— Toi, Renaud, mon meilleur ami depuis si longtemps, tu voudrais bien me laisser acheter une grosse Molson, non ?

— Tu sais que tu pourrais me mettre dans la merde, hein ?

Oui, je sais. Mais je sais aussi qu'il s'obstine seulement pour la forme. J'attends donc quelques secondes en souriant comme un imbécile, avant qu'il daigne pointer du menton le réfrigérateur à bières.

Je dépose une bouteille sur le comptoir, la paye rapidement et la glisse dans mon sac à dos. Je pousse la porte en lançant :

— Merci, mon petit chou !

— La prochaine fois, je te jure que je te fais payer ton café !

Bah ! Il ne résistera jamais à mon sourire d'imbécile.

J'arrive à la résidence au moment où mémé Poulette et ses copains sortent de table.

— Étienne ! Tu arrives à un bien mauvais moment, j'allais me payer une petite sieste.

Je m'invente une mine déçue, alors que j'avais espéré ce scénario. Si elle m'avait vu me diriger rapidement vers monsieur Ju, elle aurait fini par tout savoir. Et monsieur Ju qui boit de la bière en cachette, c'est un potin de niveau neuf. Ça a une valeur immense, si on considère que le seul potin de niveau dix jamais raconté entre ces murs est l'histoire de madame Lacoste qui, à vingt ans, a flirté avec Bing Crosby. J'avoue que j'ai dû « googler » Bing Crosby pour comprendre tout cet émoi. Bref, mémé Poulette ne doit rien savoir du tout si je ne veux pas me retrouver la tête enfoncée dans une bouse bien fumante.

Alors que je songe à cette fiente que j'évite, monsieur Julien sort péniblement de la salle à manger. Mon clin d'œil complice et mon doigt pointé vers mon sac à dos suffisent. Son pas s'anime derrière sa nouvelle marchette, tandis qu'il m'entraîne vers un corridor que je n'ai jamais emprunté. Je crains de croiser Marie-Méfianta, qu'elle me fasse subir un interrogatoire musclé jusqu'à ce que j'avoue mon crime. Elle a tous les outils de torture à portée de main : manger mou, téléromans américains horrifiants de platitude, calmants tueurs de joie de vivre…

Heureusement, monsieur Julien connaît assez bien les lieux pour nous éloigner de la circulation. Il s'arrête finalement devant une lourde porte et me fait signe de l'ouvrir.

— C'est l'ancien salon. Depuis qu'ils ont fait des rénovations, la grande salle a remplacé celle-ci. Les autres vieux sont trop jeunes pour connaître cet endroit ou trop amnésiques pour s'en souvenir.

J'allume le néon au plafond, qui peine d'abord à obéir. Quand la lumière éclaire la pièce, j'ai devant moi un mélange pas tellement *feng shui* de vieux fauteuils, de téléviseurs minuscules et de tables à cartes brinquebalantes. Au fond, de larges fenêtres donnent sur le boisé, à l'arrière de la résidence. L'endroit est parfait pour les confidences. J'aide monsieur Julien à s'asseoir dans une bergère à carreaux bruns, puis je sors mon trésor de mon sac. Les yeux de mon vieil ami pétillent comme ceux de la majorité des gars de l'école devant Flavie, quand elle porte son t-shirt bleu un peu plus moulant que les autres.

— Je vous la débouche ?

— S'il te plaît, jeune homme.

Il saisit la bouteille à deux mains, il l'approche de ses lèvres avant d'en avaler une bonne rasade.

— Ah ! Depuis le temps que je demande cette petite faveur à mes enfants et qu'ils refusent… Je devrais t'adopter, tiens !

Il éclate d'un rire qui se transforme en toux. Pour calmer celle-ci, il porte une fois de plus la bière à sa bouche. Un silence s'installe. Je commence à me demander si je ne devrais pas le laisser seul un moment avec son petit plaisir, qu'il en profite pleinement. Mais il reprend la parole.

— Oui, je devrais t'adopter. Comme ça, j'aurais au moins un enfant qui sait que je suis gai. À moins que je finisse par leur dire.

Déjà, sa diction est moins nette. La privation d'alcool pendant toutes ces années et l'effet possible du mélange avec ses médicaments (oh ! je n'avais pas considéré ce risque…) le rendent vite pompette.

— Nah ! Je penserais pas leur dire un jour. Comment tu expliques ça, de toute façon ? « Les enfants, quand vous étiez flos, j'allais veiller dans un bar, pas loin de la maison. Pas pour vous fuir. Pas parce que le scotch y était particulièrement bon. Non. Parce que dans ce bar-là y avait un pianiste. »

Il se rince la bouche après chaque phrase. La vérité, ça assèche particulièrement le palais. Je me permets une intrusion dans son monologue :

— Buvez-la pas trop vite, monsieur Julien !

— De quoi tu as peur, que j'en crève ? Faut bien que je meure de quelque chose, un moment donné !

Autre rire. Autre toux. Autre gorgée.

— Paul, qu'il s'appelait, le pianiste. Des mains qui dansaient sur les touches du piano à hynoptiser… hynop… hypnoptiser n'importe qui. Des fois, il levait les yeux de son clavier. Mon cœur s'arrêtait deux, trois secondes. Des yeux bleus, là ! Et sa musique… Du jazz qui te rentre par les pieds pis qui remonte jusque dans le cœur. De la musique comme ça, ça passe jamais par la tête.

— Est-ce que c'était votre amant ?

— Es-tu fou, toi ! J'ai même jamais osé lui adresser la parole ! Hé ! Mon amant ! Mais une fois, entre deux morceaux, il a commandé un verre de vin à la serveuse qui était juste à côté de moi. On a échangé un regard et il m'a souri. Après un sourire pareil, je n'avais pas le choix de partir et de ne plus jamais mettre les pieds là si je voulais rester fidèle à ma femme.

Il me tend la bouteille. Je ne sais trop s'il m'en offre une gorgée ou s'il n'en veut plus. Sans poser la question, je juge qu'il est plus raisonnable de la ranger.

— Étienne, je te souhaite de te trouver un beau pianiste, pis de profiter de cette passion-là pour tous ceux qui n'ont pas pu.

— Promis, monsieur Julien. Est-ce que je vous ramène à votre chambre ?

— Je pense que ça serait une bonne idée.

* * *

À la fin d'une semaine qui nous semble beaucoup trop courte, Flavie nous présente le résultat final de ses séances photo. Elle a saisi la main de Blanche, le sourire de mémé Poulette, le deux de trèfle sur ma paire d'as et la rêverie de monsieur Julien. Elle a figé dans le temps nos rires, mes exploits aux pichenottes, la petite boucane dans la tasse de thé. Nos soirées sur les pentes lui ont permis de capter le nuage de neige que font lever les skis de Renaud, mon ombre assise dans la piste, la chute de l'inconnu qui nous suivait depuis quelques descentes en tentant chaque fois de nous impressionner.

Autant Flavie peut être d'une froideur et d'une brusquerie de colonelle, autant son art dégage une chaleur et une tendresse à faire sourire un pit-bull. Empêcher cette fille de devenir photographe, c'est amputer les mains de Picasso à la naissance, c'est assassiner John Lennon avant qu'il ait produit la moindre note.

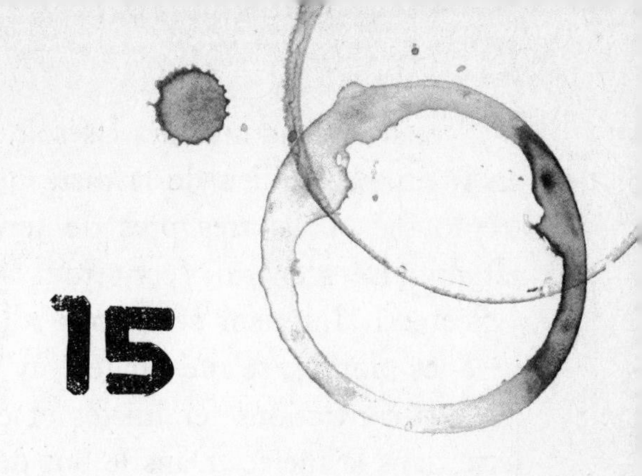

15

Après avoir ignoré une longue série de *partys* chez Brian, je dois me rendre à l'évidence : le goût de fêter dans un sous-sol poussiéreux au son de la musique de D.J. Jérémy est maintenant plus fort que ma crainte de me faire déformer le visage. De toute façon, cette histoire entre Jef et moi est loin derrière. Pas de danger qu'il m'enfonce une fois de plus dans le banc de neige, pour la simple et bonne raison que ledit banc de neige a fondu.

— Vraiment, mon petit coq mouillé ? Tu viens avec moi chez Brian ce soir ? Tu devrais peut-être apporter ton armure de chevalier, s'extasie Flavie.

Je risque de le regretter, je le sens déjà dans le ton moqueur de la geisha, mais j'entre dans la maison bruyante de Brian. L'hôte nous accueille par un : « *Cool* que vous soyez là ! Mais Étienne, j'aimerais ça que la police se pointe pas, cette fois-ci. » Quoi ? J'ai maintenant une étiquette « Gars qui amène le trouble » accrochée au col de mon t-shirt ? C'est charmant.

Nous descendons au sous-sol, nos quelques bières en main. Au milieu de la piste de danse, Camille se trémousse. Très, très près de Jérémy. Trop près de Jérémy. Le scénario s'écrit tout seul dans ma tête : « Scène 1. Intérieur soir, sous-sol de chez Brian. Jef pète les plombs, se rue sur Jérémy et Camille. Poussée par ses convictions féministes et égalitaires, Flavie se jette dans la mêlée. Dans le but de protéger le dossier criminel encore vierge de sa meilleure amie, Étienne tente d'intervenir. Scène 2. Intérieur soir, poste de police. Le visage tuméfié, Étienne attend son père aux côtés de son assaillant, Jef. »

— Relaxe, Étienne. Camille sort avec Jérémy depuis hier.

— Mais… et Jef?

— Tu savais pas? Elle l'a laissé trois ou quatre jours après votre bataille. Elle le trouvait cave de t'avoir frappé parce que tu essayais de la défendre.

Et je suis toujours en vie? Voilà qui est curieux…

Je me débouche une bière. Le petit « pchiiit » concorde parfaitement avec cette tension qui me quitte d'un seul coup. Je me laisse ensuite tomber dans le sofa trop mou, dans lequel me rejoint aussitôt Flavie, à qui je fais remarquer :

— Dommage que Renaud n'ait pas encore pu se faire remplacer. Je sens qu'on va avoir du *fun* ce soir !

— Pourquoi ? Tu as pratiqué tes scènes de combat ?

— Tu m'énerves.

— Tu m'aimes pareil.

— Juste parce que tu es *cute*, ma princesse.

Une telle phrase aurait valu à n'importe quel autre gars une défiguration immédiate. Ou une castration définitive. Mais comme ça vient de moi, Flavie se contente de rouler des yeux en faisant remarquer que la vibration ne provient pas de la musique, mais de mon téléphone.

— Ah ! Merci.

Je jette un coup d'œil rapide sur l'afficheur. Mémé Poulette. Ma curiosité piquée, je grimpe deux par deux les marches de l'escalier et je me rends au salon, refuge des flirteurs chuchotant des conversations insipides.

— Mémé ?

— Mon Étienne ! J'espère que je ne te dérange pas !

Son ton est… tranquille. Me voilà inquiet.

— Non, non, mémé ! En fait, je suis dans un *party*, mais ça ne fait rien, j'ai toujours du temps pour toi.

— Oh ! Ce n'est pas un bon moment, alors.

— Est-ce que ça va ? Tu m'inquiètes, là !

— C'est correct, Étienne. Juste des choses qui font partie de la vie, tu sais. Monsieur Julien est décédé ce matin.

La nouvelle a sur moi l'effet d'un coup de pelle en plein visage. J'échappe ma bouteille de bière, qui, tombant sur le coin du tapis, ne produit qu'un bruit étouffé, avant qu'une broue blonde prenne d'assaut le plancher. J'aurais préféré des éclats de verre bruyants, plus en accord avec mes sentiments du moment.

Monsieur Ju ne peut pas mourir ! Aucun de mes vieux n'a le droit de mourir, bon ! Devant mon silence, mémé Poulette m'envoie tout le réconfort possible.

— Il a eu une belle vie, tu sais. Et depuis quelque temps, il survivait plus qu'autre chose.

— Est-ce que tu sais quand auront lieu les funérailles ?

— Pas encore.

— Tiens-moi au courant, OK ?

— Bien sûr. Oublie tout ça, là. Va t'amuser.

— Mais toi, mémé, ça va ?

— Bien sûr, mon cœur ! Quand on est vieille comme moi, les morts, on ne les pleure pas très longtemps. On les salue, c'est tout. Raccroche et va danser !

— Bye, mémé. Je t'aime.

Je lui dis rarement que je l'aime, mais je ne l'ai jamais crue aussi mortelle qu'en ce moment.

Flavie entre dans la pièce, à la chasse au potin. Elle doit se dire que pour que je coure ainsi répondre, l'interlocuteur devait en valoir la peine. Elle remarque alors mon air abattu.

— Qu'est-ce qui se passe ?

— Monsieur Ju. Il est mort.

Elle baisse les yeux sur la flaque de houblon. Flavie ne sait jamais quoi dire, dans ces situations. Elle préfère habituellement agir. Fidèle à elle-même, elle fonce vers la cuisine, revient avec un rouleau de papier essuie-tout, qu'elle tend à un gars assis sur le divan avec sa nouvelle conquête.

— Reste pas là à rien faire ! Ramasse le dégât, veux-tu ?

Puis elle se tourne vers moi et demande :

— Préfères-tu qu'on s'en aille ?

— Non. On retourne danser, OK?

— Tu as vraiment besoin d'avoir les cheveux de Camille dans la face en ce moment?

— Oui. J'ai besoin de toi et des cheveux de Camille.

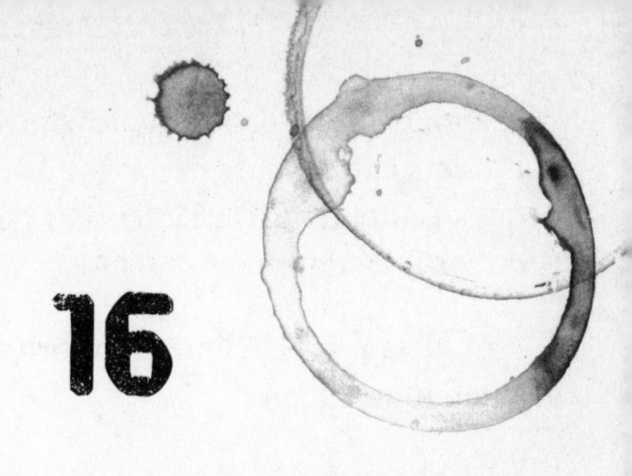

16

Mon père a coupé court à mon hésitation :

— Étienne, plus tu vas vieillir, plus tu vas croiser la mort. C'est triste, c'est dur, mais c'est comme ça. Tout ce qu'on peut faire pour se sentir un peu mieux, c'est de se mettre beau, d'enfiler ses souliers de monsieur et d'aller dire adieu à ces gens qu'on a eu la chance de croiser.

Il a de ces discours éclairés, parfois, mon père… Le samedi suivant, j'enfile donc mon habit des grandes occasions pour faire mes adieux à monsieur Ju. C'est terriblement cliché de dire d'une personne décédée qu'elle nous a marqués à jamais, mais dans ce cas-ci, je peux quand même admettre qu'il m'aura fait réfléchir et apprécier notre époque un peu tordue.

Je présume que le salon funéraire ressemble à tous les autres, même si j'en ai visité bien peu : apparence de luxe austère, tapis épais qui réconforte les pas, fauteuils apaisants, fleurs dans chaque coin. Je préfère nettement me concentrer sur le décor plutôt que sur les endeuillés qui m'entourent. J'ai l'intention de serrer des mains et de sortir en douce.

Quelqu'un chuchote trop fort derrière moi, comme le ferait un enfant :

— Étienne !

Mémé Poulette me serre fort contre elle.

— L'as-tu vu ? Est-ce qu'ils l'ont bien arrangé ?

— Franchement ! Mémé !

Blanche, moins outrée que moi, approche à son tour pour répondre à son amie.

— Non, ils l'ont mis en poudre.

Je préfère m'éloigner quand elles en viennent à comparer « l'arrangement » des deux derniers morts. Et on dit que les jeunes manquent de respect ! Pff !

Dans la pièce adjacente, la musique classique peine à enterrer les reniflements. Je me mets en file derrière un homme énorme. Ça fait mon affaire, je verrai moins longtemps la famille de monsieur Ju. Je les connais mieux qu'ils me connaissent, ses quatre enfants. Guy le médecin, Marie et Louise, les enseignantes de mathématiques, et Daniel, le programmeur informatique.

Avant d'arriver à la première main à serrer, j'aperçois Marie-Méfianta qui a fini d'offrir ses condoléances. Elle s'est fabriqué une belle tête désolée. Ça fait probablement partie de sa définition de tâches. En même temps, elle est peut-être triste pour vrai. Les mauvaises langues disaient que monsieur Julien ne manquait pas de sous et qu'il payait le gros prix pour sa jolie chambre.

Arrivé au début de la haie d'honneur, je tends la main à un homme d'une soixantaine d'années. Probablement Guy, l'aîné. Il ne sait pas qui je suis et s'en fout. J'ai peut-être des préjugés envers lui, mais il me donne l'impression d'être las de se trouver là plutôt qu'attristé de sa perte. À côté de lui, Marie ou Louise (elle a une tête de prof de maths, en tout cas) essuie ses joues mouillées. Elle change son mouchoir de main pour pouvoir serrer la mienne. Je pense à tous les microbes, bactéries, virus… et je comprends mieux pourquoi Luce a glissé sa petite bouteille de Purell dans ma poche. Je m'empresse de terminer la file familiale. Je n'aurais pas dû me presser autant. Devant moi : la photo de monsieur Ju. L'image du vieil homme est à des kilomètres de ce que je connais de lui. Elle date d'une époque où il était plus solide, plus froid sans doute aussi. L'une des photographies prises par Flavie aurait beaucoup mieux convenu. D'un autre côté, ce détachement me convient. Je n'ai pas envie de fondre en larmes comme un bébé.

La main de mémé Poulette rejoint la mienne.

— Il t'aimait beaucoup, tu sais. Il ne m'a jamais adressé la parole autrement que pour me parler de toi.

Je sais qu'elle veut me consoler, mais ses paroles ont l'effet inverse. Je fonds en larmes devant l'incrédulité de la famille Julien qui se demande bien qui je suis.

Je me sens stupide de pleurer comme ça, encore plus de dire adieu à une boîte de cendres. Bye, monsieur Ju.

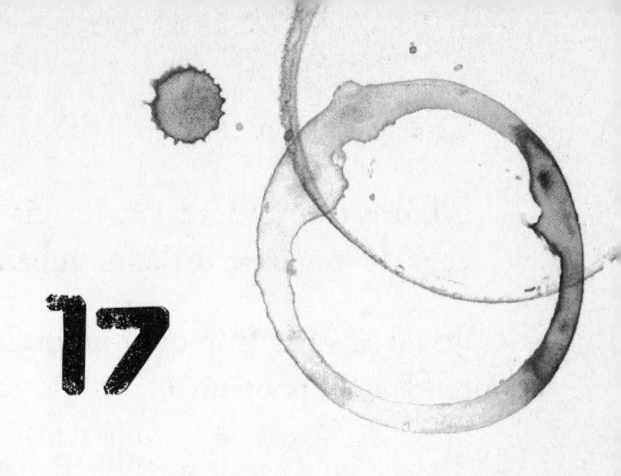

17

Luce me harcelait entre chacune de ses clientes depuis plusieurs semaines pour « rafraîchir ma coupe ». Aujourd'hui, j'ai flanché. Je grimace à chaque coup de ciseaux, espérant qu'elle ne coupe pas trop court, sachant qu'à une certaine longueur fatidique mes boucles formeront une boule vénérée à une autre époque.

Le téléphone sonne, je soupire de soulagement. Quelques secondes, peut-être même quelques minutes pour mieux respirer. Ou pour me sauver.

— C'est pour toi, Étienne.

Je prends l'appareil qu'elle me tend et je me lève d'un bond, par crainte qu'elle ose poursuivre le carnage pendant que mon attention est ailleurs.

— Monsieur Étienne Laporte ?

Je me racle la gorge et baisse ma voix de quelques tons, assumant mon nouveau rôle de « monsieur ».

— Oui, c'est moi.

— Maître Robert Crevier. Je suis le notaire chargé du legs de monsieur Étienne Julien.

Je ne sais pas trop quoi répondre, alors je me tais et j'attends qu'il poursuive.

— Est-ce qu'il serait possible de vous rencontrer ?

— Oui. J'ai des disponibilités… disponibles.

Je viens de descendre de deux échelons sur l'échelle du « monsieur ». On se donne rendez-vous le lendemain, en fin d'après-midi.

— Bon ! Maintenant tu as une bonne raison d'avoir une coupe propre ! se réjouit Luce, qui me suggère d'y aller avec mon père.

C'est vrai que je suis encore un monsieur stagiaire…

Le lendemain, donc, mon père et moi entrons dans le bureau contemporain-sérieux de monsieur Crevier. J'ai l'impression que le notaire profite de mon sentiment de petitesse pour se grandir de quelques centimètres. Il nous fait signe de nous asseoir devant son bureau. Il se rassoit ensuite en soupirant, comme le font souvent les gens qui se trouvent importants. Il pose ses grosses lunettes sur son nez, ouvre le dossier qui se trouve devant lui, tourne quelques pages et déclare :

— Monsieur Julien vous lègue sa voiture.

***

— C'était une mauvaise idée, grogne Renaud.

Il se glisse à l'extérieur de son sac de couchage et s'apprête à sortir de MA Volvo grise 1999.

— Tu as raison, Renaud. Il fait peut-être encore un peu froid pour passer la nuit dans une voiture, lui accorde Flavie.

— Et puis… ça ne vous fait pas bizarre, à vous, d'être dans l'auto d'un monsieur mort ? demande mon voisin.

— Bof. Quand tu achètes une auto usagée, tu le sais pas si le dernier propriétaire est mort ou pas. Des fois, il est peut-être même mort dedans sans que tu le saches.

— Étienne, tu as les meilleurs arguments du monde. À partir de maintenant, je ne monterai qu'à bord de voitures flambant neuves ! ajoute Flavie.

Je hausse les épaules pour leur montrer que, quoi qu'ils en pensent, je l'aime, moi, la voiture de monsieur Ju. Techniquement, pour le moment, elle est aussi à mon père, qui a rempli tous les papiers en attendant que j'aie mon permis, mais dans les faits, c'est mon bazou à moi tout seul.

Je sors à regret pour rejoindre mes amis et je les invite à monter dans mon grenier.

— Tu as toujours du chauffage ? s'informe Renaud.

— Autant que dans un spa, si tu veux.

— OK, d'abord.

Flavie et Renaud entrent chez moi, tandis que je prends un instant pour regarder ma bagnole. Sous son look carré, j'y vois la liberté, mais aussi la confiance de monsieur Ju. Je ne suis pas croyant et je ne l'imagine pas flottant dans le ciel, posant sur moi un regard bienveillant. Et pourtant, je ne peux m'empêcher de le remercier dans un murmure.

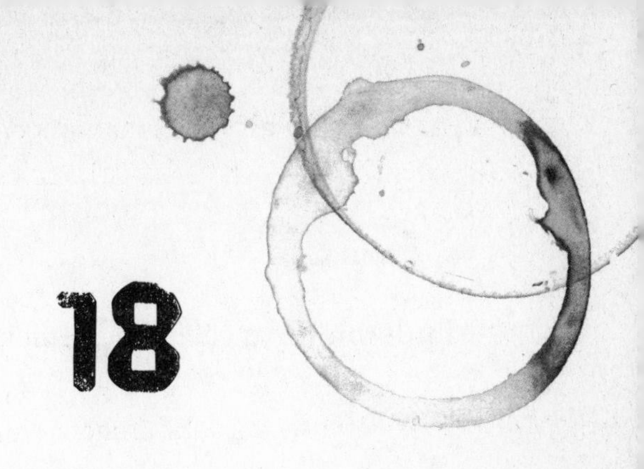

18

Je rentre d'une soirée d'escalade intérieure avec Renaud et deux autres amis. De la salle de bain où elle tente de décrasser le microbe, Luce me crie :

— Étienne, tu as eu un appel d'une certaine Louise Julien. Elle voudrait que tu la rappelles le plus rapidement possible.

Louise Julien. Que me veut-elle ? Vingt et une heures. Un peu tard pour appeler chez des étrangers, mais si je ne m'en débarrasse pas tout de suite, je vais me questionner toute la nuit…

— Oui ?

— Est-ce que je parle à Louise Julien ?

— C'est bien moi.

— Je suis Étienne Laporte, vous m'avez contacté…

Son ton se glace d'un coup.

— Ah. Oui. On aimerait vous rencontrer.

— Euh… Oui, pas de problème. C'est où et quand vous voulez !

— Mardi midi. Au café Le Grenier.

— D'accord.

Je raterai un cours ou deux, tant pis. Comme je ne suis pas plus fixé qu'avant sur les intentions de madame Julien, l'insomnie me ruine finalement ma nuit malgré tout.

Le mardi en question, je me faufile hors des murs de l'école. Un grand merci à Google Maps qui m'a permis de localiser l'endroit, à l'autre bout de la ville. Je mets une bonne heure pour m'y rendre en autobus. J'espère que ça en vaudra la peine, au moins. Quand j'entre dans le café qui sent le vieux bourgeois, je suis accueilli par un maître d'hôtel guindé qui remarque aussitôt que mes espadrilles sales, mes jeans usés, ma veste défraîchie ouverte sur mon t-shirt de Kermit la grenouille et ma casquette de la World Minigolf Sport Federation ne correspondent pas aux normes de l'établissement.

— Ça va, il est avec nous, me sauve un homme qui nous a rejoints.

Je reconnais Guy, l'aîné des Julien. Le maître d'hôtel toussote, puis me laisse passer. Trop de bonté !

Monsieur Julien numéro un me guide jusqu'à une table où sont installés son frère et ses sœurs. Ne reste qu'une chaise libre, pour moi. La chaise de l'accusé, je le sens à leurs têtes de procureurs de la Couronne. Je m'assois et je commande un café à la serveuse qui arrive au même moment. C'est la seule chose sur le menu que je puisse me permettre. Un allongé, pour me donner des airs un peu plus sérieux.

Louise (je reconnais la voix un peu rocailleuse de l'appel téléphonique) prend la parole :

— Étienne, tu dois bien te douter des raisons qui nous ont poussés à t'inviter ici ce midi.

— Pas exactement, pour être franc.

Daniel n'a pas envie de tourner autour du pot bien longtemps, à ce que je constate :

— La voiture de papa. On ne comprend pas très bien comment elle peut te revenir à toi, un gamin qui non seulement n'est pas lié à notre famille, mais qui est carrément un vulgaire inconnu ! Comme tu as malgré tout hérité légalement de l'auto, nous proposons de te la racheter. On est même prêts à te donner plus que sa valeur actuelle.

Je refuse poliment d'un « non, merci », avant d'ajouter :

— Et en passant, je n'étais pas un vulgaire inconnu pour monsieur Julien. Il me connaissait très bien…

— Il te connaissait depuis quelques mois seulement !

La tension monte dans le ton de Marie. Je leur déballe la vraie raison ? Ou du moins celle qui me semble la plus sensée ? Et pourquoi pas ! On ne va quand même pas passer la journée là-dessus !

La serveuse dépose mon café sur la table. J'en prends une gorgée. Le trouve trop fort. Ça m'apprendra à vouloir jouer les vieux. Et pourtant, je dois poser un geste de grand maintenant. Je sais que c'est une solide claque que je m'apprête à asséner à la tribu. Bizarrement, j'ai plus de difficulté à sortir du placard par procuration que pour moi-même, il y a plusieurs années.

— Justement parce qu'on n'avait pas de lien, lui et moi, votre père s'est senti à l'aise de me raconter certaines choses que personne d'autre ne savait. De se libérer d'un fardeau qu'il traînait depuis longtemps.

— De quoi parles-tu ? s'impatiente Guy.

Il n'y a pas trente-six façons de leur dire :

— Votre père était homosexuel.

Ma déclaration a l'effet d'une bombe. Les filles et Guy parlent en même temps, entremêlant leur déni, leur incompréhension, leurs insultes aussi. Daniel demeure figé. Lorsque les autres se calment, à court de fiel, il se lance à son tour :

— Franchement, pour qui tu te prends ? Petit dégueulasse ! Ça t'amuse d'inventer des horreurs sur des gens morts juste pour faire souffrir ceux qui restent ? Sors d'ici. Maintenant. Avant que je te dévisse la tête !

Je me lève très calmement, compte tenu des circonstances. Quelques pas plus loin, je croise la serveuse qui semble avoir tout entendu, ou du moins saisi le plus gros de notre discussion. Elle me fait un petit sourire désolé. Je le prends comme un gros câlin réconfortant, servi avec une tasse de chocolat chaud plein de guimauves.

19

À quatre heures du matin, je révise pour une troisième fois le texte à remettre à la troisième période aujourd'hui. C'est mon ultime tentative pour contrer l'insomnie et surtout pour penser à autre chose qu'à la sordide famille Julien. Je m'endors finalement vers six heures, une trentaine de minutes avant que le bruyant Léon se réveille.

La profondeur de mes cernes me donne l'avantage sur mon père. À moi la tasse John Deere ! Je sens que ce sera ma seule victoire de la journée. Pourquoi si peu d'optimisme ? Parce que les enseignants ne sont pas particulièrement doux avec nous, ces temps-ci. Nous savons bien qu'une fois acceptés au cégep, obtenir de bonnes notes est totalement inutile, que seule la note de passage est nécessaire. Ils savent que nous le savons. Ainsi, pour nous garder sous leur contrôle plus longtemps, ils enchaînent les projets et les examens à une vitesse étourdissante. C'est sûrement un autre grand projet du directeur Guilbert. « Gardons-les motivés, faisons-les travailler ! » Nous avons beau savoir qu'ils savent que nous savons, nous n'avons pas le choix de compléter chaque travail pour cumuler les points nécessaires au 60 % minimal.

Un seul enseignant nous épargne ce cruel petit jeu : Dominic ! J'ai sûrement quelque part un ange gardien qui a comploté avec le dieu des horaires ce matin, puisque ma journée s'ouvre avec un cours de français !

Je m'inquiète un peu, malgré tout, de mon absence de la veille…

— Flavie, tu crois qu'il va être fâché que j'aie eu une absence non motivée dans son cours hier ?

— Il manquait huit autres élèves, hier. Je suis même pas certaine qu'il ait remarqué que t'étais pas là…

Mon amie entre la première dans le local et se fige si brusquement que je lui fonce dedans.

— Merde, Flavie ! Qu'est-ce que tu fous ?

— Regarde par toi-même… grogne-t-elle entre ses dents.

Devant la classe se tient, plus droite, mais plus maigre que jamais… madame Côté !

Mon ange gardien m'a abandonné. Il est allé bruncher avec le dieu des horaires. Ils doivent bien rire, tous les deux, en me voyant souffrir dans le reflet de leurs œufs au miroir !

— Qu'est-ce que vous attendez ? La cloche vient de sonner ! nous gronde madame Côté.

L'air penaud, nous regagnons nos places, avant que notre enseignante commence son discours.

— Je suis heureuse d'être de retour parmi vous. Certains se sont informés de mon état de santé, je vais très bien, je vous en remercie. Je dois toutefois vous avouer que je ne suis pas satisfaite de la façon dont mon remplaçant a pris les rênes. Certaines évaluations ont été bâclées et, pour votre bien pédagogique d'abord et avant tout, je devrai faire reprendre ou compléter certains travaux.

Ça ne devrait pas plutôt être à nous de lui offrir un cadeau de retour ? Pff ! Elle nous donne la liste de toutes les évaluations insatisfaisantes à ses yeux. Elle termine son énumération (trop longue à mon goût) en disant :

— … et l'exposé oral aux sujets totalement farfelus !

Quoi ? Mon exposé aussi inspiré qu'inspirant ne répondrait pas à ses rigoureux critères ? C'est la goutte qui fait déborder le vase. Tous les visages autour de moi présentent des airs atterrés. Pourtant, personne n'ose parler. J'ai subi trop d'injustices, refoulé trop de frustrations ces derniers temps pour me taire cette fois-ci. Je lève la main comme on sortirait un fusil, plein de conviction.

— Oui, Étienne ?

— Madame Côté, malgré l'originalité de nos présentations orales, chaque élève ici présent y a mis le sérieux nécessaire. Je ne vois pas en quoi nos sujets, certes particuliers, ont nui à l'atteinte des objectifs.

Assez fier de mon plaidoyer, je regarde mes collègues de classe en espérant un peu de soutien. Un mini argument supplémentaire pour appuyer mes dires. Rien. *Niet*. Quelques sourires en coin, sans plus. Personne pour me couvrir, alors que la fureur de madame Côté s'abat sur moi.

— Monsieur Laporte ! Vous vous absentez de vos cours de français et vous vous permettez de me faire la morale ? Vous ne pensez pas que je préférerais garder les notes de mon remplaçant plutôt que de tout corriger à nouveau ? C'est pour VOTRE bien que j'agis ainsi !

Elle est rouge de colère alors que je me calme doucement, avec, toutefois, une certitude en tête : je referai mon exposé sur le minigolf coûte que coûte.

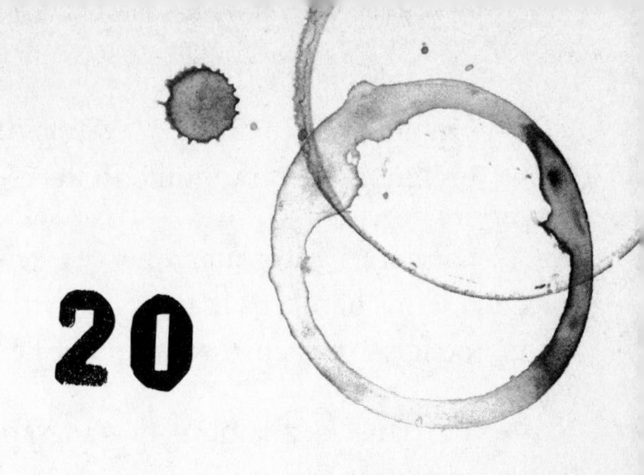

20

Je devrais probablement me concentrer sur les travaux de français à refaire, mais mon écœurantite aiguë me pousse plutôt chez ma mémé Poulette préférée. J'ouvre la porte vitrée et j'appuie machinalement sur le bouton de l'interphone. J'ai répété ces gestes si souvent que parfois je me retrouve à l'intérieur sans trop me rendre compte que je suis passé par l'œil et l'oreille de Marie-Méfianta. Cette fois-ci, toutefois, je sens que quelque chose a changé. Plutôt que de bredouiller des paroles incompréhensibles signifiant un « Entre, fatigant! » avant de déclencher l'ouverture automatique à distance, la portière en chef vient me rejoindre dans le hall.

— Je… je peux entrer?

— Oui. Mais je voulais t'avertir qu'on a changé le règlement. Depuis cette semaine, les visiteurs ne rencontrent que les gens de leur famille, et ce, dans la chambre du parent ou de la parente.

— Quoi? Mais c'est ridicule! Pourquoi?

— On a eu des plaintes. Certains de nos pensionnaires préfèrent être tranquilles dans la salle commune.

J'aimerais rétorquer que ces gens n'ont qu'à rester dans leur chambre, mais je m'abstiens, de peur qu'elle ne me laisse pas entrer du tout. Elle ajoute :

— Va dans la chambre de ta grand-mère, je vais lui annoncer ton arrivée.

— En fait, c'est mon arrière-grand… Peu importe. D'accord.

Elle me fait signe d'entrer, et son regard m'incite fortement à marcher bien droit jusqu'à la chambre de ma mémé, sans accorder un regard aux malheureux que ma vilaine personne pourrait croiser.

Je traverse le corridor les fesses serrées. Je me permets quand même un petit sourire en croisant monsieur Pringles, mais je sens les yeux rayons laser de Marie-Méfianta dans mon dos. Je lui fais donc un petit signe poli de la main au moment où il entame la conversation. Je me sens horrible. Il semble confus.

J'entre dans la chambre de mémé pour la première fois. La pièce est minuscule, mais tout y est : un lit à une place, un vieux téléviseur sur une petite commode, un autre meuble à tiroirs surmonté d'un haut miroir caché par des milliards de photographies de toute la famille, un petit comptoir portant un four grille-pain et sous lequel se cache un mini réfrigérateur, une chaise berçante. Une vraie chambre de résidence universitaire, si on remplace l'odeur de linge sale par celles d'eau de Javel et de pouche-pouche fleur-des-bois-d'un-crépùscule-de-mai. Je m'assois sur le lit. Il proteste autant que si j'étais obèse.

La porte s'ouvre. Je me redresse, comme si j'étais coupable d'un quelconque crime. Mémé Poulette a sa tête de pas contente.

— Veux-tu bien me dire c'est quoi, cette histoire de rencontrer sa visite dans ses vieux bas ?

— C'est correct, mémé. Imagine, je n'avais pas vu ta chambre encore ! C'était bien le temps !

Mon attitude positive ne l'emballe pas.

— Pourtant, hier, on a enduré les petits diables de Jacqueline dans la salle commune. Des démons, je te dis ! Ils ont failli arracher la perruque de Germain ! Et là, pour toi, que tout le monde adore, l'entrée est interdite ? C'est une insulte au bon sens !

— C'est peut-être justement à cause des petits démons que plus personne ne peut y aller… Tu salueras Raymond et Blanche pour moi.

— Pas question que tu partes sans leur dire bonjour !

Son air de pas contente se transforme en air de grosse tannante. Je comprends alors que le commando de mes petits vieux favoris a repris du service. J'imagine monsieur Pringles et la belle Blanche exécuter des roulades dignes de James Bond dans le couloir pour arriver « subtilement » jusqu'à nous. Au lieu des sons feutrés d'un agent double, ce sont plutôt les ricanements de Blanche et les rappels à l'ordre de monsieur Pringles qui parviennent jusqu'à nous. Ils se faufilent tous les deux dans la chambre et Blanche referme la porte en vitesse.

— On n'a pas encore d'information à propos de cette nouvelle politique, mais Germain et Lucille sont sur le coup.

Je n'ai jamais vu des gens manquer d'action à ce point ! À côté de leur vie, celle de mon petit frère Léon à la garderie est comparable à un épisode de *The Walking Dead*.

Nous n'avons même pas le temps de commencer une conversation d'adultes sérieux (de toute façon, je semble être celui qui se rapproche le plus d'un adulte sérieux ici) que déjà quelqu'un cogne à la porte. Tous retiennent leur souffle, se regardant comme des bêtes affolées.

— Est-ce que Marie-Méfianta aurait pu vous suivre ? demande mémé qui, à ma grande surprise, a adopté mon surnom pour la vilaine directrice.

Une voix de l'extérieur annonce :

— C'est Lucille !

Blanche, toujours près de la porte, exige en retour :

— Le mot de passe…

C'est la goutte qui fait déborder le vase du charmant ridicule ! J'éclate de rire. Le mot de passe ? Comme à six ans ? Les autres me font signe de me taire pendant qu'on laisse entrer celle qui a donné le bon mot code (marchette !). Lucille explique, le souffle court :

— Jean-Paul aurait entendu la bonne femme parler avec un des enfants de monsieur Julien, et il était question de « mauvaises fréquentations de son père dans cet établissement ».

Alors que tous essaient de retrouver dans leur mémoire plus tout à fait vive des traces d'intrus louche, moi, je n'ai pas à réfléchir bien longtemps. La situation me dégoûte encore plus maintenant que ça concerne autre chose qu'un tas de ferraille… Je confesse :

— C'est moi, la mauvaise fréquentation.

Je leur raconte ma rencontre avec les enfants de monsieur Ju, en les priant de faire comme s'ils ne savaient rien.

— Franchement, mon Étienne ! Ces gens sont affreux !

Je n'aurais rien dû dire. Mémé Poulette montera forcément aux barricades, entraînant avec elle ses disciples. Je les soupçonne même d'être heureux d'avoir une nouvelle mission à accomplir… C'est décidé, la semaine prochaine, je leur apporte tous les James Bond que je trouverai et un jeu de Twister.

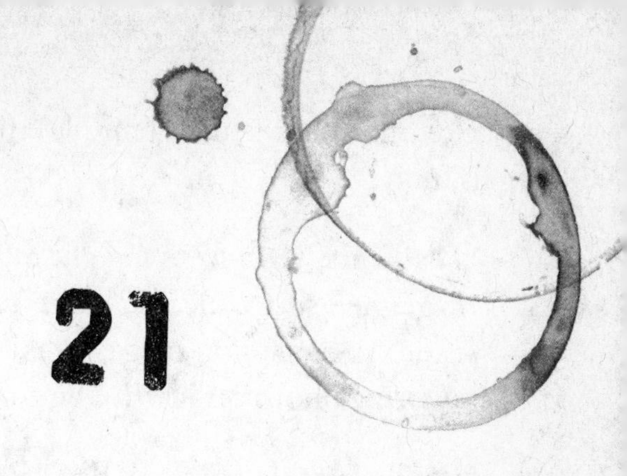

21

Les appels téléphoniques que je reçois chez moi ces temps-ci sont tous aussi intrigants les uns que les autres. Heureusement, ils n'ont pas tous des issues complètement désagréables.

— Est-ce que je parle bien à Étienne Laporte ?

— Oui.

— Je me présente, Rodrigue Guilbert, de Sports Plein air Guilbert. Nous sommes présentement à la recherche de jeunes gens dynamiques pour notre prochaine campagne de publicité de l'été, et mon frère, ton directeur, m'a fait savoir que tu pourrais être un candidat idéal.

Je ne peux m'empêcher de pouffer de rire. Moi ? Un mannequin ? Pas que je sois laid comme un pou, mais quand même, je n'ai rien d'un Ryan Gosling ! J'imagine sans peine l'équation qui s'est faite dans la tête de monsieur le directeur : les mannequins sont tous gais, non ?

— D'ailleurs, mon frère m'a dit que tu tenais beaucoup à gagner son concours pour remporter les cartes-cadeaux dans mon magasin. Alors ça tombe bien, le *shooting* photo serait payé en cartes-cadeaux !

Il a le droit de faire ça ? Bah ! Peu importe, c'est vrai qu'un kayak à moi tout seul navigue encore sur la rivière de mes envies, me rendant plus poétique encore que Nelligan lui-même !

J'accepte donc les conditions à l'honnêteté relative de monsieur Guilbert (l'aîné des deux...), en me disant qu'à la limite ce sera plutôt drôle de poser devant un écran vert en mimant des sports d'été.

Une semaine plus tard, je me présente donc au rendez-vous dans un studio de photo près de la boutique de sport. Monsieur Guilbert me reçoit, probablement heureux que j'aie un air un peu plus humain que sur la photo de carte étudiante que son frère lui a montrée pour le convaincre de m'engager. Il me présente ensuite ma « collègue ». Je l'ai déjà croisée dans les corridors de la polyvalente. Il s'agit de Li-Ann Marcoux, la championne de badminton du réseau interscolaire. J'aurais dû y penser : pour une pub réussie, une représentation féminine et ethnique (elle est d'origine chinoise) est essentielle !

Une dame, qui semble être la femme du *boss*, me maquille et me coiffe rapidement, puis j'enfile des habits d'été tous plus colorés les uns que les autres. La chaleur des projecteurs fait grimper la température jusqu'à huit cents degrés minimum. Peu importe si c'est en Fahrenheit ou en Celsius, je cuis ! Je trouve tout de même le moyen de sourire en tenant mon vélo d'une main et en pointant un point indéfini au loin à une Li-Ann trop expressive, comme dans tout bon catalogue Sears.

Li-Ann et Étienne en randonnée pédestre, Li-Ann et Étienne en escalade, Li-Ann et Étienne en vélo de montagne… On se croirait dans une nouvelle série de livres pour enfants. Malgré la chaleur et le haut niveau de quétainerie de l'exercice, Li-Ann et Étienne rient beaucoup. J'imagine déjà la tête de Renaud et de Flavie quand ils verront ces photos. Déjà que ma princesse a failli faire une crise cardiaque en apprenant la nouvelle, je sens que le résultat sera la cause ultime de son trépas.

— Le catalogue de l'an prochain, c'est moi qui le photographierai et ce sera… l'œuvre d'une vie ! m'a-t-elle promis.

En attendant, je préfère nettement cette photographe, la jeune quarantaine dynamique. Pendant les trois heures que durent la séance, elle nous gâte de ses commentaires dithyrambiques, du genre : « On dirait le vrai Leonardo DiCaprio dans mon studio » et « On va vous élire le plus beau couple du monde ! Non ! De la galaxie ! Oui ! Tiens-lui la main comme ça ! Vous êtes nés pour poser dans un catalogue d'été de plein air ! »

L'important dans tout ça, c'est qu'à la fin de la séance monsieur Guilbert me tend une carte-cadeau qui couvrira l'achat d'une tente qui ne sent pas le mulot mort et une partie du prix d'un kayak. En cassant mon cochon et les oreilles de mon père, j'achèterai mon embarcation !

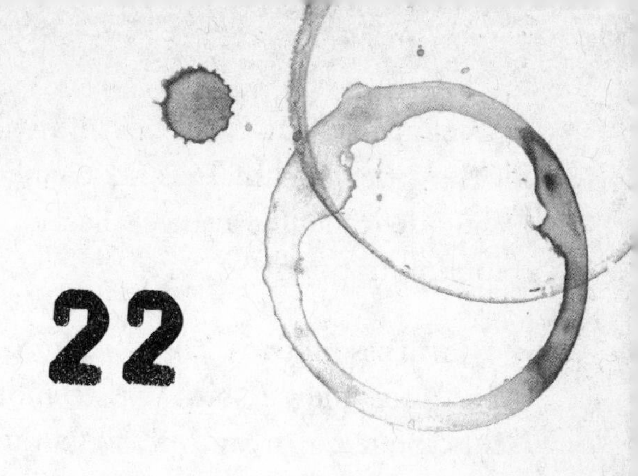

22

Je me lève de ma chaise en bois, je marche la tête haute jusqu'à l'avant de la classe et je répète mon ode au sport le plus noble de la galaxie : le minigolf. Même si j'ai su faire un pont plutôt crédible entre le sujet de Dominic et l'une des propositions de madame Côté (une invention ayant marqué notre époque), je sais que je payerai pour mon insolence. Je suis malgré tout très confiant et relax. C'est que cette prestation n'est pas la dernière épreuve de ma journée. Ce soir, je tiendrai une fois de plus un volant entre mes mains. Cette fois-ci, ce sera dans l'espoir de pouvoir conduire légalement ma voiture adorée tout seul, comme un grand, comme un homme. Avec un permis de conduire, je suis certain que viennent une barbe convaincante et l'envie de boire du gros gin.

Toute la journée durant, je rêve donc de barbe et de gros gin. Le soir venu, Renaud m'accompagne jusque dans une salle d'attente où sautillent plusieurs genoux nerveux. Une fille d'une vingtaine d'années est appelée par une évaluatrice à l'air sévère. Ouf! Je préfère la laisser à quelqu'un d'autre, celle-là. Puis j'entends mon nom. Je me lève machinalement, cogne mon poing contre celui que Renaud a avancé vers moi et je suis un homme blond plutôt petit.

Je m'assois dans l'auto-école, terrifié à l'idée d'oublier quoi que ce soit. J'ajuste mon siège, les rétroviseurs, boucle ma ceinture, alors que mon passager fait tout ce qu'il peut pour me déconcentrer.

— Tu vas à l'école des Hêtres, non ?

— Oui.

— Je crois que tu connais ma fille.

— Ça se peut…

— Camille. Paraît que c'est un peu à toi que je dois sa rupture avec Jef…

Tout à coup, je me détends. J'ai l'impression que, à partir du moment où je ne tue personne, mon permis est déjà chose faite. Et, en effet, même si je m'y prends à quatorze mille fois avant de me stationner convenablement, que je passe à un cheveu de faucher un homme qui ressemble étrangement au père de Jef, que je clignote à droite pour tourner à gauche, puis à gauche pour tourner à droite, plusieurs minutes plus tard, je plante sous le nez de Renaud le bout de papier confirmant ma « grandepersonneté ».

— Ben voyons donc ! Je t'ai suivi et tu as failli tuer mille personnes ! Après avoir vu ta conduite, je ne te laisserais même pas monter sur un vélo. Et je ne suis pas certain que tu sois mûr pour pousser un panier d'épicerie non plus. Peut-être les tout petits, avec le drapeau « Futur client », mais c'est un risque pour la société. Ton évaluateur déteste l'humanité tout entière, c'est ça ?

— Non. C'était le père de Camille.

— Ah ! Je vois. Tu veux conduire pour le retour ? demande-t-il en me tendant les clefs.

— Pourquoi pas !

Il me reprend en vitesse le trousseau des mains en hurlant :

— Pourquoi pas ! Pourquoi pas ? Parce que je tiens à ma vie, vieille fifure !

N'empêche, j'ai un permis de conduire. Pas encore de barbe, mais ça viendra.

23

Les pages suivantes du calendrier sont littéralement avalées par un énorme tourbillon. J'ai l'impression que quand je sortirai de la tempête, Léon aura douze ans, qu'il aura quelques poils mollets sous le nez et qu'il chantera « le papa pingouin » avec une voix qui mue.

À travers tout ça, la frénésie du bal s'installe. Les filles ne parlent que de robes, sauf Flavie, qui trouvera tout de même le moyen d'être la plus sublime. Étrangement, une bonne dizaine de filles m'ont demandé d'être leur cavalier ! C'est cinq fois plus que Renaud, qui est pourtant l'un des plus beaux gars de l'école. Et hétéro, ce qui devrait, en théorie, jouer en sa faveur. Je soupçonne toutefois les filles de la *gang* numéro un de demoiselles de cinquième secondaire de respecter l'attirance de l'une des leurs pour mon beau brun. C'est d'ailleurs cette Rosalie qui aura l'honneur d'assortir sa robe à la cravate de Renaud. Feuilleton à suivre…

De mon côté, je jongle sans grand intérêt avec les diverses offres (ce n'est pas au gentilhomme que reviennent les grandes demandes, d'ailleurs ?), croyant naïvement obtenir de l'aide de ma meilleure amie.

— Pour une soirée, ce serait *cool* d'être accompagné d'une personne aux jambes rasées et aux sourcils délicats, non ? Penses-tu que je devrais dire oui à Camille ?

— *Nope.*

— Délicate, comme toujours…

Derrière moi, une Cynthia dont je ne me souviens même plus le nom de famille s'en mêle.

— Pourquoi tu ne demandes pas à Jean-Bastien ? Vous seriez tellement *cuuuutes* !

Depuis l'arrivée de J-B à l'école, c'est devenu un défi ou même une simple habitude de nous pousser dans les bras l'un de l'autre. Bientôt, ils nous marieront de force !

Heureusement, j'ai encore une alliée sur cette terre.

— Il ne demandera pas à Jean-Bastien, parce qu'il ira avec moi.

Ma princesse-geisha a parlé. Le cas est réglé.

Et c'est ainsi que, plusieurs semaines plus tard, après avoir étudié durant des heures, rasé les quelques poils mous sous le nez de mon petit frère (mais non !), accusé la défaite au grand projet « Les Hêtres aident la communauté », m'être fait voler à nouveau la tasse John Deere, me voilà au bras de ma meilleure amie. Elle est si belle que je l'épouserais ! Enfin… si nous étions en 1940, que je n'avais d'autre option que de cacher mon homosexualité et que nous devions commencer dès maintenant notre famille pour ne pas nous attirer les foudres du curé. Bref, si j'étais monsieur Julien.

Sa robe rouge longue et droite lui donne des allures de star du jazz. Surtout qu'elle a remonté ses cheveux en un chignon sûrement élaboré. Je n'y connais rien en chignons. Malgré mon complet noir, ma chemise gris foncé et ma cravate ton sur ton (comme le disait le vendeur), j'ai l'air d'un sans-abri à ses côtés.

Accompagnés de nos parents, nous entrons dans le gymnase de l'école, où se déroule le cocktail d'avant-bal. Tout le monde, – gars, filles, jeunes, vieux – n'a d'yeux que pour ma princesse. Quand je le lui fais remarquer, celle-ci rétorque :

— Mais non ! C'est toi qu'ils regardent ! Tu as l'air d'un séduisant gangster, Étienne ! Ou d'un vampire sexy. Prends-nous des coupes de punch au plus vite, l'école est assez *cheap*, il va sûrement en manquer.

J'attrape deux coupes de plastique, en tends une à Flavie. Un vampire sexy ? N'importe quoi !

Renaud, tenant sa belle Rosalie par la taille, nous ramène à l'ordre :

— Ça suffit, les enfants, le bout plate des discours commence…

Mon père et les parents de Flavie vont rejoindre ceux de notre ami, assis au deuxième rang, au moment où monsieur Guilbert s'avance au micro. Il se dit ému de voir partir ces élèves qu'il vient tout juste de connaître et que, pourtant, il aime déjà. Ça y est, il vient de perdre toute mon attention. Et celle d'une bonne moitié de l'assistance, d'après ce que j'observe autour de moi. C'est le moment que choisit Camille, déjà saoule, pour se ruer sur moi et me chuchoter en postillonnant :

— Je pense que quelqu'un a vandalisé ton char, Étienne.

Malgré ses talons hauts, Flavie est la première à sortir en trombe. Pas le temps d'avertir mon père. Je m'élance à la suite de ma dulcinée, faisant fi de Renaud, retenu par sa Rosalie.

Dans le stationnement, nous constatons les dégâts. Le côté de ma bagnole a été aspergé de peinture en aérosol rose, formant le mot suivant : « TAPETTEMOBILE ». Une feuille sous l'essuie-glace signe le crime : « Rends le char à mon grand-père à mon père, sti d'fif. » Jamais un message aussi confus n'aura été aussi limpide. Les Julien envoient leurs descendants, maintenant ! Je n'en peux plus de cette guerre. Je n'ai jamais choisi d'y participer. Je ne me sens plus armé pour y faire face. J'ai envie de m'asseoir à même l'asphalte et de pleurer de rage. Au fait, qu'est-ce qui m'en empêche? Mon costume de vampire sexy? Certainement pas. Flavie s'écrase à mes côtés, ne se souciant pas plus de sa robe à je-ne-sais-combien de centaines de dollars. Elle passe son bras autour de mes épaules, invite ma tête à pencher jusqu'à la sienne. La très haute silhouette de Renaud nous fait soudain de l'ombre.

— Paraît que je me soucie plus de vous que d'elle. Elle m'a *flushé*.

La scène est du plus profond pathétisme.

— Vous avez envie de fêter, vous?

— Du tout, soupire ma princesse.

Je change de ton pour déclarer :

— Alors, amenez vos jolies fesses, on se tire d'ici!

— Tu as un plan? demande Renaud.

— Oui.

Ou plutôt, j'en trouverai un. Nous avertissons d'abord nos familles, restées à l'intérieur. Mon père préférerait appeler la police, mais il semble comprendre ou du moins respecter mon envie d'aller prendre l'air loin d'ici.

Je dépose Flavie et Renaud chez eux. Je rentre chez moi, me change et boucle mes bagages en vitesse. Je file ensuite chez Sports Plein air Guilbert, où mon portrait « photoshopé » sur les affiches géantes m'incite à me procurer un GPS. Je ne savais même pas qu'ils en vendaient ! Je calcule le total de mes achats ; il dépasse largement le montant de ma carte-cadeau. Je laisse la tente de côté. Mon vieil abri sentait-il si mauvais, après tout ? Puis je salue ma face qui recommande l'achat d'un vélo hybride, avant de quitter la boutique. Je passe finalement à l'épicerie et je retourne chez moi pour récupérer ma vieille tente, avant de reprendre Renaud, qui insiste pour conduire. De son côté, Flavie n'a pas pris le temps de se démaquiller, mais elle a déniché dans le fond de son sous-sol de la peinture en aérosol bleue, verte et jaune.

L'artiste se met au travail, couvrant le mot injurieux d'une œuvre abstraite de son cru. J'en profite pour régler le GPS et planifier en vitesse les arrêts de notre voyage improvisé.

— Flav… c'est… particulier ! la félicite Renaud.

Les ronds colorés qui se chevauchent sur ma portière cadrent plutôt mal avec les lignes bien droites de la voiture, mais j'aime beaucoup le résultat !

— J'adore, ma princesse. C'est… festif! Pour te remercier, je te ferai valser autour d'un feu de camp, ce soir!

Flavie sourit. Un sourire qui nous force à sourire aussi.

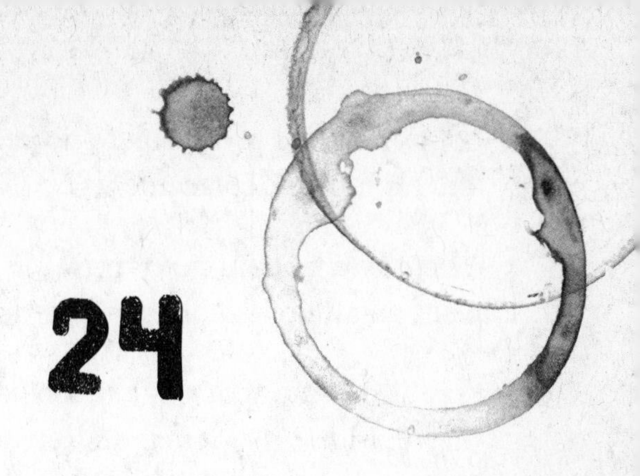

24

Babette, notre GPS, nous mène jusqu'à la roulotte Chez Fernande, là où l'on sert apparemment les meilleurs pains de viande au monde… et à côté de laquelle on trouve l'un des minigolfs les plus kitch de la province ! Bien mieux qu'un banquet et qu'une salle de bal, non ?

Alors que Babette annonce : « Vous êtes à destination », Renaud grogne :

— Étienne, grand con…

— Oui, Renaud ?

— Vas-tu nous faire faire des détours toute la fin de semaine pour qu'on passe par le plus de *miniputts* possible ?

— Oui, Renaud.

Flavie ajoute :

— Et as-tu aussi prévu suivre notre policier favori dans ses moindres déplacements ?

À côté du trou numéro trois, l'agent avec qui j'ai trop souvent eu affaire dévore son hot-dog.

— Serais-tu vraiment triste qu'on passe à une prochaine destination ? me demande Renaud.

Pour toute réponse, je hurle :

— Vite, roooooule !

Il repart en vitesse, faisant rager Babette qui répète « recalcul en cours » d'un ton passif-agressif. Je change rapidement la destination dans la machine outrée, entraînant ainsi mes joyeux comparses vers notre lieu d'accueil pour la nuit : le Camping chez Ti-Guy. Le nom est poétique à souhait, l'endroit aura sans doute un charme… particulier !

Au moment où nous quittons l'autoroute, les autres finissants des Hêtres sont probablement en train d'engouffrer leur mise en bouche du festin. Nous roulons une quinzaine de minutes avant d'apercevoir la pancarte d'accueil peinte à la main sur une vieille porte. Renaud rassure Babette en tournant dans l'entrée, même s'il semble douter de mon choix.

Je ne comprends pas où est le problème : une petite cabane de tôle jaune poussin nous accueille chaleureusement. À notre droite, d'étranges personnages fabriqués avec des matériaux recyclés auraient pu donner une allure artisano-écolo-sympathique à l'endroit, mais ils frappent plutôt par leur air dépotoiro-épeuranto-horrible. Derrière ce cimetière du bon goût se dresse une clôture ceinturant probablement une piscine. Et à droite, la merveille des merveilles : le minigolf construit de main de pas maître par le propriétaire lui-même. Je le sais, j'en ai parlé dans mes deux exposés oraux de français ! Exposés que j'ai fini par couler, mais ce n'était pas en raison de ma méconnaissance du sujet, ah ça non !

— Change d'air, Renaud ! Il est parfait, ce camping !

— De toute façon, on a juste besoin d'un carré de tourbe, relativise Flavie.

Renaud se gare devant le poussin métallique et nous y entrons tous les trois. Nous sommes reçus par un employé boutonneux et blasé.

— Avez-vous réservé ?

— Non… c'est plein ? s'inquiète Flavie.

— Non. Tente ou véhicule récréatif ?

Machinalement, mes amis et moi nous tournons vers la fenêtre la plus proche, d'où nous pouvons tous apercevoir ma voiture.

— Un seul emplacement ?

— Oui.

— Allez au numéro huit. Voici la liste des règlements. Guy, le propriétaire, vous invite à visiter son musée en plein air entre guillemets. Toutes les œuvres sont à vendre, clin d'œil.

Il a vraiment dit « entre guillemets » et « clin d'œil » ? Je lui prends la feuille jaune (poussin, oui) des mains avant qu'il en arrive à dire « point final ». Déjà, je sens Flavie prête à bombarder de mauvaises blagues l'estime de lui du pauvre commis.

Nous reprenons l'auto pour nous rendre en moins de deux à l'emplacement numéro huit. Ça ne prend pas un doctorat en géographie pour se retrouver : tous les sites bordent un chemin de terre. Le nôtre est, comme prévu, un gros carré de tourbe avec une vieille cuve de laveuse attendant qu'on y allume un feu.

Très près, une famille s'installe. On sent déjà qu'on aura des tonnes de plaisir quand, alors qu'elle nous fixe plus de deux secondes, la gamine de neuf ou dix ans se fait dire : « Viens par ici, Chanelle, on ne les connaît pas » avec un gros « ils sont peut-être dangereux » sous-entendu dans le ton. Sa mère, drapée d'un look années quatre-vingt-dix, la tire même par le bras. Au cas où on déciderait de la kidnapper, j'imagine.

Je hausse les épaules et je donne un coup de main à mes camarades pour monter notre tente puante. Parce que oui, elle sent si mauvais, finalement. J'ai beau me dire qu'une fois la tente aérée l'odeur s'en ira, je doute qu'on arrive à dormir là-dedans…

Puis, affamé, je tire de la glacière les petits sandwichs aux œufs préparés on ne sait quand par un employé blasé de l'épicerie. Ils n'ont jamais été aussi bons. Ils goûtent la paix et le bonheur, que je retrouve doucement.

Plus tard dans la soirée, saucisses grillant sur le feu de laveuse, assis sur des bûches bancales, écoutant les ouaouarons et la musique d'Éric Lapointe des voisins, nous respirons le bonheur.

— Salut, les jeunes !

Je me retourne vers la voix, au bout d'un faisceau de lampe de poche.

— Moi, c'est Guy, je suis le *boss* de la place. Si vous avez besoin de quoi que ce soit, vous me faites signe ! Avez-vous visité mon musée en plein air ?

— Celui qui est entre guillemets ? se moque Flavie.

J'ajoute plus gentiment :

— Pas encore, mais on n'y manquera pas !

Après une nuit à peu près blanche (l'aération n'avait pas chassé l'odeur, finalement...), je me lève avant tout le monde pour préparer le petit-déjeuner. Café, œufs et bacon. Le genre de festin que je ne me prépare même pas chez moi. Le voisin, visiblement jaloux de mon lunch, replace sa casquette Labatt et échappe ses Pop-Tarts dans le feu.

— Qu'est-ce que tu as à nous demander pour nous faire un lunch de titan de même ?

— Bonjour à toi aussi, Flavie !

— Je gage qu'il veut nous convaincre d'aller jouer au *miniputt*... tente Renaud, qui me connaît vraiment trop bien.

— Pff ! Du tout. Mais ce serait le *fun*, non ?

— Juste parce que tu es ma vieille tapette préférée, répond Renaud, un sourire au coin des lèvres.

C'est ainsi que, une heure plus tard, je frappe ma balle sur le dernier parcours du « Ti-terrain de golf à Ti-Guy ». Notre constat : tous les trous, pas au niveau, mal conçus et croches, sont impossibles à réussir en moins de six coups.

— N'oubliez pas de traverser dans mon musée, hein !

Flavie sursaute, rate son coup. Ce Guy a un tel don pour apparaître subitement que je commence à penser qu'il s'agit d'un hologramme !

De l'autre côté du chemin, nos voisins de terrain préférés y sont justement, dans le musée en plein air. Sentant qu'une scène cocasse pourrait s'y dérouler, nous suivons le proprio, qui court littéralement jusqu'à ses clients potentiels.

La gamine, probablement sous l'effet des Pop-Tarts cendrés, s'est planté les pieds devant une licorne en objets recyclés (dont quelques boîtes de conserve, des bouchons de bière, une mèche de perceuse et des tampons à récurer…).

— Je la veux ! s'emballe-t-elle.

— Mais poupoune, où est-ce qu'on va mettre ça ? interroge la mère.

— Dans ma chambre ! répond la fillette.

— C'est fait pour aller dehors… ronchonne le père.

— Eh bien ! dehors, mais à côté de ma fenêtre. Comme ça, je la verrai super bien !

— Linda… pourquoi pas ? cède l'homme, excédé. Monsieur, elle est combien ?

— C’est une de mes belles pièces, ça… 30 $!

Renaud fait un pas en avant. Il a quelque chose derrière la tête et j’avoue que ça m’intrigue.

— Monsieur, j’ai un coup de foudre pour votre œuvre. Je vous en donne 35 $!

Notre voisin de camping replace sa casquette sur sa tête, l’air incrédule.

— Mais papa ! geint sa fille.

— Franchement, le clown, il y en a des dizaines autour, des sculptures en gogosses. Tu ne pourrais pas en choisir une autre ?

— La licorne, c’est mon animal fétiche, voyez-vous…

— Et son signe chinois, ajoute Flavie, incapable de laisser les autres avoir du plaisir sans elle plus longtemps.

— Mais papa ! supplie de nouveau l’enfant.

— Bon… le bonheur de ma fille vaut bien 40 $!

— Alors je vous en donne 50 $!

Cinquante belles piastres, voilà qui me semble un peu cher payé pour une simple blague… Les yeux ronds, je regarde Renaud. Il ne bronche pas. Le père se tourne vers sa progéniture et lui promet :

— Je vais t'en faire une bébitte avec des cochonneries, moi aussi. Tu vas voir, ça va être bien beau !

Renaud sort des billets de son portefeuille et les tend à un Ti-Guy qui cache mal sa joie. Mon ami prend la bête et marche jusqu'à l'auto, sans répondre à mon « Mais tu es complètement mongol ! » ni au « 50 $? Vraiment, le gros ? » de Flavie. Voyant qu'il ne reviendrait pas sur le sujet de son « coup de cœur », je conclus :

— En tout cas, ça va s'harmoniser à merveille avec la façade de ta maison…

Nous empaquetons le reste de nos bagages autour de notre nouvelle amie, Suzie la licorne, et nous quittons le Camping chez Ti-Guy, dont nous nous souviendrons longtemps.

— 50 $? Vraiment, le gros ? Tu as ça à flamber, toi, 50 $? reprend Flavie, une fois sur la route.

— Fais-toi z'en pas, j'ai travaillé un peu plus que prévu ces dernières semaines. Derniers mois. Et puis, c'était drôle, non ?

Pour toute réponse, je chuchote :

— Mets-en…

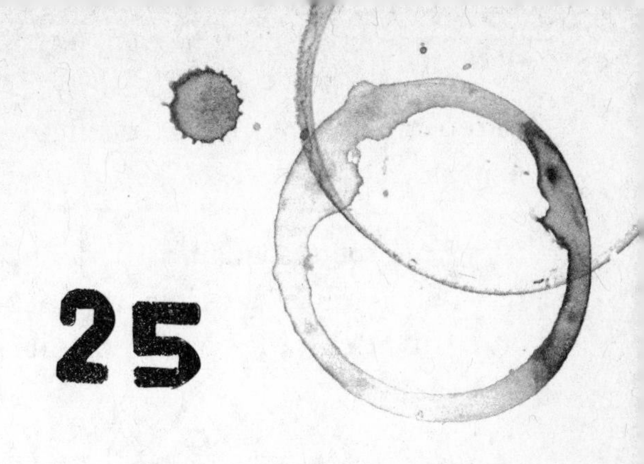

25

Je crois que je n'ai jamais été si loin d'une ville digne de ce nom de toute ma vie. Une où on trouve un Tim Hortons, disons. On est loin. On est plus loin que loin. Pourtant, je n'ai qu'une envie : m'enfoncer davantage. Quand Renaud se fatigue, je prends le volant, mais il ne se repose jamais bien longtemps.

— Recalcul en cours, ne cesse de répéter le GPS.

— Je sais qu'on ne suit plus ton chemin, il faut faire le plein, grosse Babette épaisse ! crie Renaud, excédé par la voix autoritaire de la machine.

— Sois doux avec elle ! Je pense qu'elle est jalouse depuis qu'on a embarqué Suzie… se moque Flavie.

Renaud sort remplir ma voiture d'essence. Je me dirige vers le dépanneur pour faire aussi le plein en chips et payer la note. Flavie me suit pour s'assurer que je choisis une sorte satisfaisante et bientôt, nous nous retrouvons tous les trois devant l'étalage, paralysés par le peu de choix.

Je me mets soudain à fredonner une chanson qui reste bien collée dans ma tête depuis ce matin, tout en hésitant entre les nature ondulées et les nature pas ondulées.

— Je suis un saule inconsolaaableeee...

— Veux-tu bien me dire pourquoi tu chantes du Isabelle Boulay ? me demande Flavie.

— Je l'ai dans la tête depuis ce matin. C'est débile, je ne sais même pas pourquoi et ça ne décolle pas ! Je suis... le plus déseeeemparééé des arbres !

— Faut bien être gai pour avoir cette chanson-là dans la tête ! me taquine Renaud.

Pour me venger, je poursuis...

— Mais qu'est-ce que ça peut faire, l'amour, la guerre ? Je t'aime, je t'aaaaime.

Soudain, un gars d'une vingtaine d'années, aussi grand que Renaud et barbu comme un homme qui essaierait de se raser chaque matin avec une mitaine à four, m'interpelle.

— Hey toi !

— Euh… oui?

— Faudrait que tu viennes avec moi.

Je n'en ai pas envie. Du tout, du tout. Suivre un inconnu je ne sais où après que mon ami ait dévoilé mon homosexualité à tout le dépanneur ne me semble pas prudent. Je ne veux pas voir des homophobes partout, mais…

— Il ne partira pas sans nous! déclare Flavie, brave comme une Viking.

Le gars hausse les épaules. Il connaît sûrement tout le village. Ils seront dix fois plus nombreux que nous là où il veut nous entraîner. Mon cerveau embrouillé refuse de réfléchir. Je dois pourtant trouver un plan pour nous sortir de là! Quelque chose me dit que les poings de ce gars-là sont pas mal plus efficaces que ceux de Jef…

— On ne peut pas laisser notre auto là… tente Renaud.

— Pas de trouble! Vous la reprendrez tantôt, s'en mêle le caissier.

Le gars nous indique la porte poliment, mais avec autorité. Nous sortons à petits pas alourdis par la poltronnerie. Je sens que même Flavie la Viking tremble dans ses sandales sport. Notre kidnappeur nous fait signe de monter dans son *pick-up*. Nous nous cordons sur la banquette arrière, moi au centre.

Je n'avais encore jamais compris l'expression « avoir des sueurs froides ». Je pensais que c'était une expression littéraire inventée pour les besoins d'un auteur en manque de sensations physiques à décrire. Mais non. Des sueurs froides me perlent sur le front. Je suis si crispé que j'aurai pris la forme d'une brique dans quel ques minutes. Le conducteur allume la radio. Pendant quelques secondes, Metallica remplace Isabelle Boulay, mais Isabelle reprend vite le dessus. Je vais peut-être mourir. Avec une chanson d'Isabelle Boulay dans le crâne. C'est affreux. Je préférerais encore Sacha Distel. Au moins, c'est joyeux...

Nous roulons sur ce qui semble être l'artère principale du village. D'ailleurs, je ne sais même plus comment il s'appelle, ce village. Je vais peut-être mourir. Et je ne sais même pas où je me trouve. Nous tournons dans une rue, puis rapidement dans une entrée.

Le petit bungalow semble bien tenu, le gazon est bien tondu, les rideaux jaunes aux fenêtres inspirent confiance. Je respire soudain un peu mieux. Puis je me rappelle cette histoire sordide de meurtre au premier degré qui figurait à la une du journal, il y a quelques semaines. Dans une jolie maison proprette...

— Sortez, s'il vous plaît.

La voix du barbu impose le respect. Ainsi, il nous manipule comme trois marionnettes, qui descendent du véhicule et le suivent jusqu'à la porte du bungalow. Notre bourreau cogne, une femme ouvre presque aussitôt. Elle doit avoir une cinquantaine d'années, les cheveux courts teints en blond, de petites lunettes sur le nez.

Ma peur fait place à l'incompréhension. Je me serais attendu à un colosse en camisole, le corps couvert de tatouages…

— Salut, Carl !

— On a un petit problème, Nicole. On a besoin de ton don…

Son don ? Son don pour… ? Mon moment exempt d'inquiétude a été de bien courte durée, en fin de compte. Voilà les sueurs qui réapparaissent, dans le creux du dos, cette fois-ci.

— Entrez, fait simplement Nicole, avec un sourire.

Sadique, le sourire ? Je ne saurais dire.

Nous entrons dans le salon, qui se voudrait chaleureux en d'autres circonstances, avec ses gros sofas de cuir.

— Lequel, Carl ?

— Le petit.

Forcément moi. Elle me désigne le fauteuil. Je reste debout, médusé. Carl me prend par les épaules et m'assoit de force. Je ne veux pas mourir. Pas devant mes amis. Je parviens à balbutier :

— Qu'est-ce que vous allez me faire ?

Nicole lève les bras, comme si elle s'apprêtait à m'écraser la tête entre ses deux mains, mais celles-ci s'arrêtent à quelques centimètres de mes oreilles. Elle explique :

— On est une petite communauté. On se croise souvent. Et quand l'un des nôtres a une chanson dans la tête, c'est tout le village qui y goûte. C'est à virer fou. Heureusement, j'ai reçu un don de mon grand-père. As-tu déjà entendu parler des coupeurs de feu ou des arrêteurs de sang ?

— Ça me dit quelque chose...

— Eh bien ! moi, j'enlève les vers d'oreille. Si tu n'entends pas la chanson de nouveau dans les vingt-quatre prochaines heures, tu vas être correct.

Quoi ? J'ai failli me faire pipi dessus tellement j'ai eu peur de mourir, tout ça parce que j'ai une chanson d'Isabelle Boulay dans la tête ? Que... j'avais une chanson d'Isabelle Boulay dans la tête ! Ça fonctionne, son truc ! C'est complètement dingue, cette histoire !

— Je vous ramène au garage, déclare simplement Carl.

Dans son *pick-up*, il éclate de rire.

— Vous aviez peur, non ? Vous pensiez quoi ? Que j'allais vous battre à mort ?

Puis il se remet à rire. Le con. Je vais lui coller la chanson du papa pingouin entre les deux oreilles, voir s'il rigolera encore !

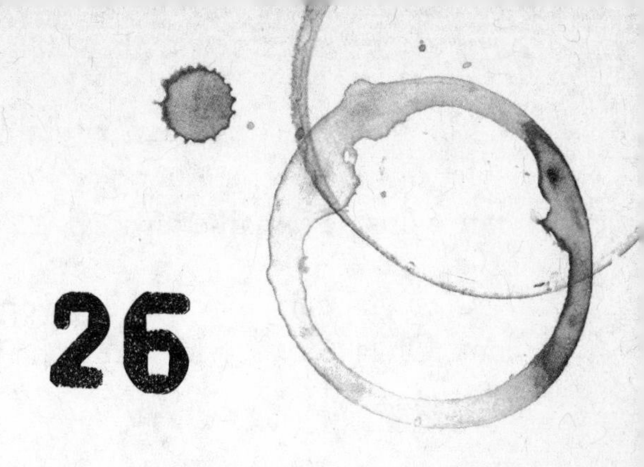

26

Le camping Robert du bois est plus près de l'aspect sauvage qui nous plaît bien. Aucun trou de golf miniature cette fois-ci, mais une forêt juste assez dense pour cacher la vue sur le lunch de son voisin. Et, au bout du sentier, un lac immense, bordé par une étroite bande de sable. Une fois la tente montée, nous nous asseyons sur la plage avec un sac de chips nature. Ondulées, finalement. Pour m'assurer que le moment sera vraiment parfait, je plante Suzie la licorne près de nous.

— Faites-y attention, elle vaut cher… prévient Flavie, qui n'en revient toujours pas.

— Arrête un peu avec ça !

— Mais 50 $?

Cette fois-ci, j'y mets mon grain de sel.

— D'ailleurs, comment as-tu pu travailler autant sans qu'on s'en rende compte ?

— On n'est pas toujours ensemble, quand même… Je vous ferai remarquer qu'on passait le plus clair de nos fins de semaine séparés.

C'est vrai que j'ai passé beaucoup de temps chez mes vieux. Ou la tête dans les livres, enseveli sous les travaux et l'étude.

— Et tu faisais tes devoirs quand ? demande justement Flavie.

— Entre deux clients. Comme je le pouvais. Qu'est-ce que vous voulez que je vous dise ? Que je serais bien étonné de réussir tous mes cours et que je vais devoir passer l'année prochaine à l'éducation aux adultes pour avoir mon diplôme ? Bien voilà ! Je vous le dis ! Et vous voulez savoir autre chose ? C'est beaucoup parce que je suis un perdant qui n'aura pas son secondaire 5 que Rosalie m'a laissé.

Les vaguelettes qui nous mouillent les pieds parlent à notre place pendant quelques secondes. Mais Renaud ne peut pas rester en colère bien longtemps. Et Flavie est incapable de se taire plus d'une minute.

— Au moins, tu as Suzie !

— Oui, j'ai Suzie.

Je crois bon d'ajouter :

— Et nous.

— Bon, le gai qui sort la phrase *cute* !

— La ferme, Renaud ! La dernière fois que tu as fait un commentaire du genre, on a failli se faire tuer ! rappelle Flavie.

— Au pire, je deviendrai curé.

Mes amis éclatent de rire, puis Renaud s'arrête et me fixe, mal à l'aise. Je le rassure aussitôt.

— Franchement, Renaud ! Je sais bien que c'était une *joke*, c'est correct !

— De quoi on parle, là ? s'informe Flavie.

C'est fou, je n'ai jamais raconté cette partie de ma vie à Flavie. C'était une autre époque et je suis passé par-dessus tout ça, maintenant. Par-dessus le plus gros, en tout cas.

— Ma mère est entrée en religion quand j'avais neuf ans. Elle voulait s'accomplir, qu'elle disait. Aux dernières nouvelles, elle était missionnaire au Burundi.

— Vraiment ? J'ai toujours cru que ta mère était morte !

— Bah ! C'est un peu tout comme, au fond. Elle m'envoie des lettres, une fois tous les trois ans. Elle est heureuse, moi aussi, c'est ça l'important. J'imagine…

— Si tu veux, je peux te prêter Suzie.

— Merci, Renaud. Tu es un vrai frère !

Nous entendons alors des voix s'approcher, celles de cinq jeunes prêts à partager leur bière en échange de quelques croustilles. L'ambiance change du tout au tout, ce qu'on peut qualifier de bonne chose.

— On prépare un méchant *party* pour la Saint-Jean demain. Allez-vous être là ? demande une blondinette enthousiaste.

Renaud, Flavie et moi échangeons un regard. Un regard qui dit que le bonheur d'être loin de notre quotidien chaotique est le plus beau cadeau que nous pouvions nous faire, mais que l'exil ne pourra pas durer éternellement. Flavie doit se préparer à affronter une bande de gamins surexcités, tout en tentant de convaincre ses parents du génie de son choix de carrière. Renaud retournera dans son dépanneur déprimant. Et moi, je finirai probablement par vendre ma voiture aux enfants Julien pour acheter la paix.

27

Le lendemain matin, ni mon petit-déjeuner digne des dieux de l'Olympe ni le soleil radieux ne parviennent à nous accrocher un sourire dans le visage. Nous empaquetons donc nos bagages et disparaissons avant que nos camarades de la veille se lèvent et nous convainquent de rester plus longtemps.

Au volant de mon bolide, je reprends la route qui traverse le village, laissant Les Trois Accords s'occuper de toute ambiance sonore dans l'habitacle. Soudain, entre le « J'aime » et le « J'aime ta grand-mère », la radio s'éteint. S'ensuit un silence plus intrigant qu'inquiétant. L'inquiétude se met seulement de la partie au moment où le moteur suit l'élan de la radio gréviste et s'arrête lui aussi. Tout d'un coup. Vlan. Plus rien.

Nous sortons tous les trois du véhicule, hésitant à soulever le capot, de peur d'y trouver un cadavre de pinson, une colonie de clowns ou un examen de maths. Sérieusement, je ne sais trop ce qu'on craint, mais je vois mal comment on pourrait résoudre le problème, quel qu'il soit. Un homme d'une cinquantaine d'années, les cheveux poivre et sel, la barbe naissante, en jeans et t-shirt noirs nous rejoint. Lui n'hésite pas une seconde. Il fixe les entrailles de ma voiture en ponctuant ses hochements de tête de « hi la la », « *boy, oh boy!* » et de « Ttttt ».

— Va-t-il survivre, docteur ? demande Flavie.

— Oui ! C'est votre alternateur, les jeunes. Mais aujourd'hui, les garages sont fermés et ce n'est pas dit qu'ils auront la bonne pièce rapidement... On dirait bien que vous allez passer quelques jours avec nous autres !

— C'est qu'il faudrait vraiment partir... réalise Renaud.

— Je connais un gars qui pourrait vous le faire en dessous de la table, mais il est pas mal cherrant. Sinon, je peux remorquer votre char dans mon garage jusqu'à demain ou après-demain, y a de la place en masse.

La vie est drôle. Tu crois que tout va mal et tout à coup BAM ! elle te montre que ça peut être encore pire. Renaud et Flavie me fixent avec des yeux de biche désorientée, attendant que je sorte ma baguette magique. Je sors plutôt mon téléphone cellulaire.

Je m'assois dans la voiture, côté passager, et je compose le numéro de la maison. Allez, papa, réponds ! J'essaie sur son téléphone cellulaire : même triste sort. Je laisse un message, espérant que Léon n'a pas une fois de plus lancé l'appareil dans la toilette ou ne l'a pas égaré dans son immense montagne d'ours, castors et dinosaures en peluche.

J'hésite à inquiéter mémé Poulette. Mais je sais qu'elle sortira de sa manche le meilleur conseil qui soit, celui qui transformera ce début de journée pénible en fiesta torride !

— Étienne ! Ton bal, c'était comment ? Tu devais être si beau !

— Je te raconterai plus tard. Là, j'ai un problème.

Je lui résume notre mésaventure du moment. Je m'attends à ce qu'elle m'offre de payer les réparations pour moi, parce qu'au fond à quoi lui servira cet argent, une fois morte. Je prépare mes objections, qu'elle balaiera assurément une à une.

— Tu sais, Étienne, je ne serai pas toujours là pour te conseiller. J'ai confiance en toi. Je sais que tu trouveras la meilleure solution qui soit.

— Euh… Merci de ta confiance, mémé.

— Ce n'est pas ce que tu voulais entendre, je me trompe ?

— Tu as raison, au fond. C'est juste que... je suis tellement fatigué !

— Des fois, Étienne, il faut s'arrêter et se demander si on traîne les bonnes choses dans ses bagages. La vie, c'est pas toujours facile. Mais des fois, on se la rend fatigante pour rien...

Je la remercie, lui promets de lui rendre visite à mon retour, puis je raccroche. Je sors lentement du véhicule devant les gueules d'espoir de mes amis.

— Et si on laissait la voiture là et qu'on foutait le camp sur le pouce ?

— Voyons, le jeune ! C'est encore un bon char que tu as là ! La réparation vaut la peine !

— Le voulez-vous ? Je vous demande 700 $.

Renaud et Flavie n'osent rien dire. Ils me frapperont sans doute plus tard. L'homme accepte mon offre, même pas honteux de profiter de mon innocence et de mon émotion du moment. Je sais bien que la voiture vaut plus que 700 $ (surtout avec le chef-d'œuvre de Flavie sur son flanc), mais ma sérénité n'a pas de prix. Dans quelques semaines, les Julien recevront une belle lettre les remerciant de leur don de 700 $ à un organisme luttant contre l'homophobie.

Étant donné que je reviendrai plus tard dans la région pour régler les détails de la vente, nous laissons le plus gros de notre matériel dans le garage de monsieur Chicotte. Puis, Suzie la licorne sous le bras à tour de rôle, nous marchons jusqu'à l'autoroute. Je ne sais pas si c'est le fardeau des bagages et de la tôle en moins, l'effet du vent d'autoroute sur nos pouces en l'air ou les souvenirs chaleureux des derniers jours, mais j'ai le sentiment que quelque chose en nous vient de changer. Qu'une certitude s'est installée : celle que, peu importe ce qui nous tombera dessus, nous serons assez forts, assez intelligents et assez fous pour l'affronter.